PAUL GAYLER

SALSAS de todo el mundo

PAUL GAYLER

SALSAS de todo el mundo

fáciles de preparar

Fotografías de Richard Jung

ELFOS

2009 Primera edición en lengua castellana
Título original: *Paul Gayler's Saucebook*
Traducción: David N. M. George
Coordinación de la edición en lengua castellana: Rita Schnitzer

Alberes 34, 08017 Barcelona.
Tel./Fax 934 069 479
E-mail: elfos-ed@teleline.es

Publicado por primera vez en 2008 por Kyle Cathie, Londres

Impreso en China, 2009
ISBN: 978-84-8423-296-4

Editado por Caroline Taggart
Diseño: Jane Humphrey
Economía doméstica: Linda Tubby
Estilismo: Roisin Nield

Nota:
Todas las cucharadas son rasas, a no ser que se especifique lo contrario:
1 cucharada de postre (c/p): 5 ml;
1 cucharada sopera (c/s): 15 ml.

Agradecimientos

Deseo expresar mi agradecimiento más sincero por el enorme apoyo a las siguientes personas, sin las cuales este libro no habría podido realizarse:

A mis buenos amigos Linda Tubby y Richard Jung, estilista de alimentos y fotógrafo que, entre los dos, dieron vida a las salsas y las recetas.

A Roisin Nield, por su gran estilismo del atrezzo, como siempre.

A Jane Humphrey, por el excelente diseño.

A la editora de copias Sally Somers, por su respaldo y por montar el libro de forma tan hermosa.

A Jane Middleton, respetada amiga, por su ayuda y consejos.

A Lara Mand, como siempre, por su gran trabajo con el mecanografiado inicial del texto.

A mis chefs, cuya ayuda y dedicación diarias a la elaboración de alimentos excelentes ayudan a hacer posible escribir un libro.

Un agradecimiento especial a Caroline Taggart; valoro sinceramente su ayuda, amistad y profesionalidad para ayudarme a crear un libro maravilloso.

DEDICATORIA

A mi familia, por su constante apoyo

contenido

INTRODUCCIÓN

Una buena salsa puede transformar cualquier comida. Imagínese una bechamel sabrosa con queso, cremosa y servida sobre cabezuelas tiernas de coliflor, o una aromática salsa de tomate y albahaca con pasta fresca, o unas natillas de vainilla dispuestas sobre tarta de manzana; todas ellas, unas combinaciones celestiales.

El término *salsa* procede del latín *salsus*, que significa «salado». Una salsa es, en el sentido clásico, un líquido sabroso espesado de una de las distintas formas estándar, y sirve para acompañar o revestir un alimento.

En la actualidad, la definición se ha ampliado no sólo para abarcar las salsas clásicas francesas, sino también las salsas especiadas, los condimentos, los *chutneys* y los aliños. Todas ellas añaden sabor, textura y jugosidad a los alimentos, e incluso pueden tener la cualidad de hacerlos más fáciles de digerir.

Para muchos, la preparación en casa de un tipo de salsas que disfrutamos en los restaurantes puede parecer una tarea difícil. Pero es mucho más sencillo de lo que se imagina. Una vez conozca las distintas «familias» de salsas y domine algunas técnicas básicas, tendrá la puerta abierta a la preparación de numerosas salsas distintas, e incluso creará sus propias versiones. La clave del éxito consiste en asegurarse de que complementen y acentúen el alimento con el que se sirvan. Nunca deberían dominar un plato, sino tener un sabor claro y bien definido y una consistencia y una textura agradables.

Las salsas son un elemento esencial en todas las cocinas. Ahora que es fácil viajar por todo el mundo, sentimos más curiosidad por los alimentos de otras culturas. Al mismo tiempo, los supermercados disponen de un gran surtido de ingredientes de todo el planeta. Debido a ello, la posibilidad de experimentar con las salsas ha aumentado enormemente.

Es una pena que tantos cocineros hogareños opten por las salsas compradas en lugar de preparar las suyas propias. Las salsas comerciales suelen contener espesantes, colorantes, conservantes y otros aditivos. Es frecuente que posean una textura poco apetitosa e insípida, y suelen carecer de un sabor claramente definido. La preparación de salsas frescas en casa desarrollará sus dotes de cocinero. Aunque algunas requieren cierto grado de destreza y buen juicio, otras pueden resultar tan sencillas de preparar como es triturar unos ingredientes en una batidora para obtener un pesto o un condimento, o la breve cocción de unas bayas con un poco de azúcar para luego tamizarlas y servirlas como *coulis* de frutas.

Cuando decidí escribir este libro, mi idea era mostrar que preparar excelentes salsas estaba al alcance de cualquier cocinero hogareño. Muchas salsas se pueden elaborar mientras se cocina el alimento que acompañarán, y muchas de ellas ni siquiera precisan cocción. Algunas (especialmente las francesas clásicas) implican más tiempo y pueden requerir un buen fondo. Si no dispone del tiempo ni de la predisposición para preparar su propio fondo, adquiera el mejor caldo que pueda encontrar (los frescos en tetrabrik suelen ser buenos, pero tenga en cuenta que los ingredientes deben ser los mismos que usaría en casa).

Este libro se divide en cinco regiones geográficas: Francia (salsas francesas clásicas), Europa y el Mediterráneo, América, Asia y el Pacífico. También hay un capítulo de fusiones y otro dedicado a las salsas dulces. Estas divisiones no son rígidas, y existen muchos solapamientos entre las regiones, así que no se limite a ninguna en concreto. Las salsas constituyen un fantástico modo para llegar a distintas culturas y cocinas. Pueden proporcionar a un sencillo trozo de pescado o carne a la parrilla un toque francés, italiano, hindú o mexicano, dependiendo de si lo sirve con salsa holandesa, *salmoriglio*, *raita* o chimichurri. Puede agregar guindillas a una salsa básica para proporcionar un toque asiático o sudamericano; queso, rábano picante o anchoas para aportar una esencia europea; o finas hierbas y otros ingredientes, como limón y ajo, para dar un toque mediterráneo. Cuando se trata de postres, mímese y dése un lujo: ¿quién podría resistirse a un sirope de caramelo o a una salsa de chocolate negro rociada sobre un helado?

BREVE HISTORIA SOBRE LA ELABORACIÓN DE LAS SALSAS

Antes de que existiera la refrigeración, las salsas se solían usar para disimular aquellos alimentos que podían estar pasados. Los romanos fueron los primeros en disimular, de este modo, la dudosa frescura de los alimentos. También emplearon las salsas como forma de justificar las costosas especias de las que disponían. Esta práctica prosiguió hasta bien entrada la edad media. Rebuscando entre las recetas antiguas de mi colección de libros de cocina, vi que las salsas estaban tan especiadas y sazonadas que hubiera sido imposible distinguir ningún sabor concreto, por no hablar del alimento básico.

Fueron los franceses los que desarrollaron el tipo de salsas al que estamos acostumbrados en Occidente. A principos del siglo XX, Antonin Carême creó una primera clasificación de las salsas, basada en cinco preparaciones estándar, a las que llamó «salsas madre». Se trata de la salsa española (una salsa oscura que se basa en un fondo, espesada con harina y mantequilla), la semiglaseada (una mezcla de la española y un fondo oscuro reducido y, en la actualidad, espesada mediante su cocción a fuego bajo), la bechamel (una salsa clara que se basa en la leche espesada con harina y mantequilla), la salsa *velouté* (una salsa clara preparada con un fondo en lugar de con leche) y la salsa de tomate. Estas cinco salsas constituyen la base a partir de la que derivan todas las salsas francesas. Rara vez se sirven en su forma básica; en su lugar, se añaden distintos ingredientes y aromatizantes para elaborar una salsa concreta, lo que transforma la original en cuestión de minutos. Las variantes se conocen con el nombre de «salsas hijas», por razones obvias. Con el tiempo, el repertorio francés clásico aumentó con la adición de otras salsas procedentes del extranjero. También disponemos de una sección menor dedicada a las salsas frías que derivan, en gran medida, en la mayonesa o la vinagreta.

La mayoría de las salsas clásicas se espesan con almidón (generalmente con harina). No obstante, durante la época de la *nouvelle cuisine*, en la década de 1970, un pequeño grupo de chefs destacados decidieron eliminar el almidón en la medida de lo posible, para así preparar salsas más ligeras. Las salsas oscuras espesadas con harina se sustituyeron por las espesadas con arrurruz o llevándolas a ebullición, de forma que se espesaran de forma natural. Las salsas de mantequilla, como la *beurre blanc*, se pusieron, repentinamente, de moda, mientras que las *veloutés* se tornaron mucho más ligeras. Esta revolución en el mundo de la preparación de las salsas, además del hecho de que las salsas que llevaba más tiempo preparar no volvieran a estar de moda, supuso una buena noticia para el cocinero hogareño.

También contamos con la revolución aportada por los electrodomésticos. Las batidoras y los robots de cocina permiten que cualquiera pueda obtener una salsa fina, brillante y perfectamente amalgamada. Esto también ha coincidido con la moda de la preparación de purés coloridos de hortalizas y finas hierbas que se pueden triturar en minutos y servirlos como nutritivos acompañamientos de la carne y el pescado.

Las tradiciones culinarias francesas se resisten a desaparecer, aunque la elaboración de salsas está, en la actualidad, menos estructurada que antaño. Los chefs pueden escoger entre distintas tradiciones culinarias, y es frecuente observar una superposición de estilos e influencias en los menús de los restaurantes. Esto, a su vez, influye en lo que escogemos comer en casa, y la elaboración de salsas nunca ha sido tan fácil para el cocinero hogareño como hoy.

Nota del autor Las recetas de las salsas indican la cantidad, y no tanto las raciones. En el caso de las salsas no existe una ración fija; algunas personas prefieren una pequeña cantidad y otras piden más. Use su buen juicio para decidir la cantidad que necesitará. Todas las hierbas aromáticas empleadas en las recetas de este libro son frescas, excepto que se indique lo contrario.

ASPECTOS BÁSICOS

Para elaborar cualquier salsa de calidad es vital contar con una base adecuada. Este hecho implica, generalmente, en el caso de la preparación de salsas, un caldo sabroso, ya que es básico. Aunque no son difíciles de preparar, el proceso puede requerir bastante tiempo.

Desgraciadamente, no disponemos de trucos para obtener un buen caldo. Las variedades que podemos adquirir en tetrabrik en el supermercado suelen tener un sabor y un color flojos, y las pastillas de caldo son todavía peores.

He hablado con muchos cocineros caseros y, para decir la verdad, muy pocos preparan sus propios caldos. Comentan las dificultades con las que se encuentran para conseguir huesos de ternera y de carne de caza o incluso espinas de pescado de calidad. Normalmente, la única opción disponible son los huesos de pollo. Le recomiendo que se esfuerce en conseguir los huesos anteriormente comentados o, como mínimo, los huesos de pollo, ya que los resultados serán mucho mejores que si usa pastillas de caldo o caldo comprado.

A continuación le mostraré los caldos básicos (o fondos) que usaremos en el libro, lo que le ayudará a emprender el camino para la obtención de excelentes salsas. Conviene no añadir sal al caldo, ya que no sabemos en qué tipo de plato lo vamos a usar y, obviamente, es más fácil añadir sal que quitarla.

FONDO CLARO DE AVE

Se trata de un fondo claro basado en el pollo o la ternera para preparar sopas y salsas ligeras.

Para preparar unos 2 l

2 kg de carcasas o huesos de ave (o una mezcla de alas, patas y carcasas)
3 cebollas peladas y cortadas en trozos grandes
2 zanahorias grandes peladas y cortadas en trozos grandes
2 tallos de apio cortados en trozos grandes
2 puerros (sólo la parte blanca) picados
4 ramitas de perejil de hoja plana
4 ramitas de tomillo

1 Retire la piel y el exceso de grasa del pollo/ave. Introdúzcalo en una cacerola grande, cubra con agua fría y lleve a ebullición.

2 Escurra el pollo y enjuague la cacerola. Vuelva a introducir el pollo en la cacerola y añada 3 l de agua para cubrirlo.

3 Lleve a ebullición y cueza a fuego muy lento, sin tapar, 1½ horas, y vaya retirando de vez en cuando las impurezas que floten sobre la superficie del fondo de salsa. Añada las hortalizas y las hierbas aromáticas y cueza a fuego lento durante 1 hora más.

4 Cuele el fondo en un cuenco grande y déjelo enfriar. Se conservará 1 semana en el frigorífico y 6 meses en el congelador.

FONDO CLARO DE TERNERA

Sustituya los huesos de ave por la misma cantidad de huesos de ternera y proceda de la misma forma que con el fondo de ave.

FONDO OSCURO DE AVE, TERNERA O BUEY

Si hornea los recortes de carne y las hortalizas, el caldo resultará más oscuro, sabroso y caramelizado. Es adecuado para las salsas oscuras basadas en los jugos de los asados.

Para preparar unos 2 l

2 kg de recortes de ave, buey o ternera cortados en trozos grandes
2 c/s de aceite vegetal
3 cebollas peladas y cortadas en trozos grandes
2 zanahorias grandes peladas y cortadas en trozos grandes
4 tallos de apio cortados en trozos grandes
2 puerros (sólo la parte blanca) picados
4 ramitas de perejil de hoja plana
4 dientes de ajo pelados
4 ramitas de tomillo
2 c/s de concentrado de tomate

1 Precaliente el horno a 200 °C. Elimine la piel y el exceso de grasa de la carne.
2 Caliente el aceite en una bandeja de horno o en una fuente refractaria. Añada los trozos de carne y remueva.
3 Introdúzcalos en el horno y áselos durante 20-30 minutos.
4 Añada las hortalizas y las hierbas aromáticas, mézclelas con la carne dorada y hornee 30 minutos más. Incorpore el concentrado de tomate y hornee otros 15 minutos.
5 Páselo todo a una cacerola grande, cubra con 3 l de agua y lleve a ebullición. Elimine las impurezas que floten sobre la superficie y cueza unas 3 horas a fuego muy lento y sin tapar.
6 Cuele y deje enfriar. Se conservará 1 semana en el frigorífico y hasta 6 meses en el congelador.

FONDO DE PESCADO O FUMET

Para preparar unos 2 l

1 c/s de aceite de oliva
2 cebollas, peladas y cortadas en láminas
1 bulbo de hinojo cortado en láminas
2 tallos de apio cortados en láminas
1 kg de espinas de pescado (preferiblemente de pescado blanco) picadas
150 ml de vino blanco seco
1 ramita de tomillo
1 hojita de laurel
2 ramitas de estragón

1 Caliente el aceite en una cacerola y añada las cebollas, el hinojo y el apio. Cueza unos 10 minutos a fuego lento hasta que las hortalizas estén tiernas.
2 Deje las espinas de pescado en remojo; vaya cambiando el agua varias veces y añádalas a la cacerola. Tape y cueza 1 minuto al vapor.
3 Agregue el vino y cueza 10 minutos a fuego lento sin tapar.
4 Añada las hierbas aromáticas y 2 l de agua para cubrirlo todo. Lleve a ebullición a fuego lento y cueza el caldo, sin tapar, 20 minutos. Cuélelo y déjelo enfriar. Se conservará 2 días en el frigorífico o 1 mes en el congelador.

DASHI (CALDO ASIÁTICO DE PESCADO)

El *dashi* es un caldo saludable, aromático y muy sabroso usado en la cocina japonesa. Se elabora, tradicionalmente, con alga kombu (kelp o encina de mar), un alga japonesa de color marrón. Si no la encuentra en el supermercado, podrá adquirirla en un colmado asiático o japonés.

Para preparar alrededor de 1 l

20 g de kelp seco
20 g de copos de bonito secos
100 ml de agua fría

1 Introduzca el kelp en una cacerola con alrededor de 1 l de agua fría y déjela en remojo unas 3 horas.
2 Lleve a ebullición y retire inmediatamente la cacerola del fuego. Añada los 100 ml de agua fría y luego los copos de bonito.
3 Deje infusionar durante 15 minutos y cuélelo en un cuenco con un tamiz recubierto con una muselina. El caldo *dashi* se conservará 2 días en el frigorífico y 1 mes en el congelador.

CALDO O *NAGE* DE VERDURA

Los caldos de verdura son ideales para aportar sabor a las salsas, sopas y otros platos vegetarianos. Use hortalizas frescas para preparar el caldo, ya que no se trata de hacer limpieza del frigorífico. Todos los ingredientes han de ser frescos y de buena calidad.

Para preparar alrededor de 1 l

3 zanahorias grandes peladas y cortadas por la mitad longitudinalmente
1 apio mediano pelado y cortado en trozos grandes
2 tallos de apio cortados en trozos grandes
2 puerros (sólo la parte blanca) picados
3 cebollas peladas y cortadas en cuartos
200 g de champiñones pequeños cortados por la mitad
1 bulbo de hinojo, sin hojas, cortado en trozos grandes
3 dientes de ajo pelados
4 ramitas de perejil de hoja plana
4 ramitas de tomillo

1 Introduzca todos los ingredientes en una cacerola y cúbralos con 2 l de agua.

2 Lleve a ebullición y cueza a fuego lento, sin tapar, durante 1 hora. Cuélelo y déjelo enfriar. El caldo de hortalizas se conservará 1 semana en el frigorífico y 6 meses en el congelador.

CALDO OSCURO DE VERDURA

Con el fin de obtener un caldo de verdura más oscuro para preparar salsas vegetarianas, sofría las hortalizas y las hierbas aromáticas con un poco de mantequilla y aceite, junto con 4 tomates en rama aplastados, y siga la receta del caldo de verdura.

TIPOS DE SALSAS

Para preparar una salsa de calidad, en mi opinión, resulta de vital importancia conocer todos los tipos de salsas que existen. Las salsas pertenecen a dos categorías: calientes y frías, aunque pueden clasificarse de la siguiente forma.

Salsas emulsionadas con mantequilla Las salsas blancas calientes de mantequilla, como la *beurre blanc*, se preparan, tradicionalmente, con una reducción de vino o vinagre con chalotas, que luego se emulsionan o espesan con mantequilla. Hay también otras salsas de mantequilla calientes, como la mantequilla dorada y la mantequilla clarificada.

Las salsas de mantequilla frías se conocen con el nombre de mantequillas compuestas y pueden ser dulces o saladas. Estas mantequillas no están emulsionadas, sino que se trata de una mezcla condimentada con otros ingredientes. Se suelen servir frías sobre otros alimentos calientes para que se derritan.

Las salsas especiadas son típicas de la cocina española o la latinoamericana. Son, casi siempre, salsas crudas (existen excepciones) y se aromatizan con especias, como el chile y otras hierbas aromáticas y condimentos.

Purés majados y *coulis* El puré cocido o crudo y colado de frutas, como el de bayas o el de tomate y hortalizas, se tamiza y se sirve frío o caliente con distintos platos. Entre ellos se encuentran las salsas majadas con un mortero y una mano de mortero, como el pesto italiano o el *nam jim* asiático.

Salsas emulsionadas enriquecidas con huevo
Se trata de salsas suaves, refinadas y untuosas, aunque ligeras, basadas en los huevos, que se cuecen ligeramente mediante el calentamiento y que luego se espesan con mantequilla (como la salsa holandesa), o se baten crudas y se espesan con aceite (como la mayonesa).

La crema inglesa (un tipo de natillas de vainilla) también es una salsa emulsionada elaborada con huevo, leche y nata. Las salsas emulsionadas no admiten la espera. Prepárelas en el último momento y sírvalas inmediatamente. Nunca deben recalentarse, ni siquiera al baño María, ya que pierden ligereza y se estropean.

Salsas espesadas con almidón Estas salsas se espesan con una base de *roux* (*véase* pág. 12), o con arrurruz o maicena. Entre las salsas basadas en el *roux* se encuentran la bechamel y la *velouté*. Hoy en día, los jugos oscuros de los asados tienden a espesarse con arrurruz, para adquirir un color más claro y un sabor más fino.

Jugos de asado Los jugos de asado son los jugos que quedan en la bandeja o la sartén tras asar o freír carne. Se elimina el exceso de grasa y se reemplaza por vino, caldo o incluso agua y se cuecen a fuego lento junto con los jugos caramelizados. Este proceso se conoce con el nombre de «deglaseado». A veces se añade un poco de harina para elaborar un *roux* y espesar los jugos de asado.

Vinagretas y aliños Las vinagretas y los aliños se pueden servir tibios, pero se suelen usar fríos para aliñar ensaladas. Están compuestos por un ácido (como vinagre o limón) emulsionado con una base de aceite, mostazas u otros condimentos.

Mojos y salsas especiadas Un mojo es un condimento común que se usa para aportar sabor a un alimento. Al contrario que otras salsas, en lugar de verterla sobre el alimento, es éste el que se moja en la salsa. Las salsas de mantequilla frías se conocen con el nombre de mantequillas compuestas y pueden ser dulces o saladas. No están emulsionadas, sino que se trata de una mezcla condimentada con otros ingredientes. Se sirven frías sobre otros alimentos calientes para que se derritan. Los mojos mantienen una estrecha relación con los platos para picar, y los más populares se preparan en los países asiáticos y del Pacífico. Entre ellos hay distintas mayonesas, el guacamole, la *raita*, los ketchups, los mojos de nata, las salsas asiáticas de pescado y las salsas barbacoa.

Las salsas especiadas son típicas de la cocina española o la latinoamericana. Son, casi siempre, salsas crudas (existen excepciones) y se aromatizan con especias, como el chile y otras hierbas aromáticas y condimentos.

Ketchup y condimentos Se encuentran en forma de salsas en conserva, y son indispensables entre el repertorio del cocinero. Podemos adquirirlas ya preparadas, aunque se pueden elaborar fácilmente. Se pueden realizar con antelación y no requieren preparativos de última hora. Los ketchup, los condimentos como, por ejemplo, los de rábano picante, y los *chutneys* cocidos a fuego lento pertenecen a esta categoría. También se incluyen las salsas asiáticas y las orientales, como la de soja (elaborada con habas de soja fermentadas) y las de pescado tailandesas y vietnamitas (preparadas con pescados y mariscos en salazón). Entre las salsas chinas se encuentran la *hoisin*, la de ostras, la de ciruelas y otras muchas más. Algunas de ellas se emplean para cocinar, además de como mojos y condimentos.

Almíbares Se trata de preparaciones dulces elaboradas a base de azúcar y agua (o jugo de fruta), que se cuecen hasta que quedan transparentes. Suelen condimentarse con hierbas aromáticas o especias. Son fáciles de preparar y resultan muy versátiles para elaborar postres.

FORMAS DE ESPESAR LAS SALSAS

Por lo general, las salsas no deben tener una consistencia acuosa. Como espesante sirven las siguientes opciones o una combinación de las mismas:

Roux Se utiliza como espesante de todas las salsas blancas. El *roux* es una mezcla, a partes iguales, de mantequilla clarificada derretida y harina. Se mezclan ambas en una sartén y se cuecen en distintos grados, según el tipo de *roux* deseado, antes de añadir el líquido. Un *roux* blanco se cuece ligeramente, sin dorarlo, como la salsa bechamel. El *roux* rubio, se cocina lentamente y durante más tiempo, hasta que adquiere un color pálido. Espesa *veloutés* y salsas de color neutro.

El *roux* oscuro se cuece a fuego lento más tiempo todavía, sin quemarlo, hasta que adquiera un color avellana oscuro. Se utiliza para espesar numerosas salsas oscuras. La mantequilla clarificada aporta a la salsa el color necesario sin añadir el sabor amargo de la mantequilla quemada.

Maicena y harina de arrurruz La maicena o la harina de arrurruz deben disolverse en un poco de agua o vino antes de añadirlas al líquido caliente. A continuación se incorporan en la salsa y ésta se espesa casi de inmediato. Este método proporciona unas salsas más finas y claras que las espesadas con *roux*. Son especialmente populares para espesar salsas chinas y salsas dulces. Como norma general, 1 c/p de maicena o de harina de arrurruz disuelta espesará 200 ml de salsa. Recomiendo la maicena para espesar las salsas elaboradas con leche o productos lácteos y la harina de arrurruz para las salsas de carne, ya que les aporta un excelente brillo, además de una agradable textura.

Huevos y nata Las yemas de huevo se usan como base para espesar muchas salsas emulsionadas, como la holandesa. Las yemas de huevo combinadas con nata y añadidas a las salsas se conocen con el nombre de «amalgamas», y se utilizan para espesar y enriquecer las salsas *velouté* clásicas, cuando se incorporan en el último momento de la cocción. Las amalgamas deben añadirse rápidamente y mientras la salsa se ha retirado del fuego, antes de espesarlas a fuego lento. En cuanto a las natillas, deben removerse constantemen-te hasta llegar al punto en que recubran la parte posterior de una cuchara. No deben hervir, o cuajarán.

Beurre manié Consiste en dos partes de mantequilla blanda y una parte de harina, mezcladas, en crudo, con un tenedor. El *beurre manié* espesa las salsas inmediatamente. Añada pequeñas cantidades a la salsa a fuego fuerte, con un batidor de varillas pequeñas. Deje que hierva unos minutos y, cuando alcance la consistencia deseada, pásela por un colador.

Butter Se trata de pequeños trozos de mantequilla refrigerada que espesan y corrigen una salsa. Se incorporan, batiendo con unas varillas, en una salsa caliente, apartada del fuego. Tienen un doble efecto: proporcionan cuerpo y brillo a la salsa y la espesan (*véase* pág. 13, Trucos del oficio).

Purés de hortalizas, frutas y frutos secos Muchas hortalizas, frutas y frutos secos cocidos se pueden triturar para utilizarlos en salsas. Aportarán una textura más ligera y un color más atractivo. Como ejemplos hay las chalotas, las setas, la salsa griega de patatas *skordalia*, los tomates de una salsa de tomate clásica, las hierbas aromáticas del pesto italiano y los frutos secos en el caso de una salsa de cacahuetes. Las hortalizas y las frutas trituradas aportan cuerpo y una textura sedosa a la salsa sin la adición de productos lácteos, por lo que suponen una opción útil pobre en grasa e hipoalergénica.

Reducción Reducir una salsa a la mitad es la técnica más sencilla para espesar una salsa. Reduce un líquido poco denso mediante evaporación.

Un cazo abierto puesto a fuego fuerte es la forma más habitual de reducir una salsa. Para acelerar el proceso puede pasarla a un cazo de mayor tamaño, ya que, cuanto mayor sea la superficie, más rápida será la evaporación. Este método sólo se usa al preparar salsas oscuras, aunque algunas salsas basadas en la nata pueden prepararse de forma parecida. No sazone una salsa reducida antes de que alcance la consistencia adecuada. Elimine cualquier impureza sobre la superficie, para mantener la salsa limpia y brillante.

Otros métodos para espesar El pan rallado se utiliza para espesar salsas rústicas y de mucho sabor, como la salsa romesco catalana. En la cocina campestre, se emplea para espesar el jugo de un asado o el caldo de un cocido. Incorpore el pan a una salsa caliente y cueza a fuego lento unos 20 minutos, removiendo de vez en cuando. En cuanto la salsa alcance la consistencia adecuada, sírvala tal cual o pásela por un chino.
La sangre se utiliza principalmente como espesante de salsas para platos de caza, aunque en la actualidad rara vez se prepara debido a las restricciones sanitarias con respecto al uso de sangre fresca.

TRUCOS DEL OFICIO

En todas las profesiones siempre existen conocimientos técnicos y una serie de trucos útiles, y, en este sentido, la cocina no es diferente. A continuación le propongo algunos consejos para la elaboración de salsas que he adquirido con la experiencia a lo largo de los años.

LA CONSISTENCIA CORRECTA

Consistencia para verter Una salsa que ha de servirse sobre un trozo de carne, pescado o para recubrir hortalizas debe tener una «consistencia para verter». Significa que debe ser lo suficientemente líquida como para poder verterla, pero de ninguna manera acuosa. La salsa, una vez preparada, debe recubrir ligeramente la parte posterior de una cuchara pero no debe escurrirse. Una prueba sencilla consiste en pasar un dedo a lo largo de la parte posterior de una cuchara mojada en la salsa. Si la salsa se escurre lentamente, está lista. Ésta es una de las primeras cosas que aprendí como joven chef, y la sigo usando como directriz.

Consistencia para recubrir Aquellos platos que necesitan que la salsa quede pegada a los ingredientes precisan una salsa con una consistencia para recubrir o que, en otras palabras, tenga una textura más densa que la anterior. Puede tratarse de una salsa para un plato de pasta, para recubrir verduras con salsa mornay o de cualquier otro plato gratinado. Las salsas de este tipo relacionadas con las salsas bechamel y *velouté*.

Consistencia densa Esta consistencia debería ser lo suficientemente densa como para amalgamar una mezcla para preparar rellenos o bases de suflé. Una vez más, se trata, generalmente, de salsas basadas en la bechamel y la *velouté*.

MEJORAR EL SABOR

Una salsa insípida Salsas oscuras: un chorrito de oporto o de madeira mejorará el sabor y el color, y añadirá un toque de dulzor y de profundidad.

Salsas blancas: añada un chorrito de vino o de cava a las salsas de pescado, y un poco de oporto o madeira a las *velouté* basadas en el pollo.

Falta de picante o fortaleza Si una salsa es sosa e insípida, un toque de acidez la mejorará.

Falta de color En general, la falta de color de una salsa se debe a que los huesos usados para el fondo de la salsa no se han caramelizado lo suficiente durante el asado. Es esencial que éstos y las verduras se cocinen hasta adquirir un tono dorado intenso. Añada una c/s de salsa de soja para mejorar el color de una salsa.

Demasiado grasienta Si una salsa resulta grasienta, añádale un cubito de hielo y llévela a ebullición. Luego podrá eliminar la grasa y las impurezas que floten sobre la superficie con una cuchara.

Sabor demasiado acre La adición de una o dos cucharadas de nata, un poco de mantequilla sin sal y azúcar o, mejor todavía, de jalea de grosellas rojas, eliminará un sabor demasiado acre en una salsa.

Rectificar la sazón En el libro, verá una nota para rectificar la sazón al final de ciertas recetas, pero, ¿cómo saber cuál es la condimentación correcta? ¿Es escasa? ¿Es excesiva? Saberlo es algo que procede de la experiencia, aunque, mientras tanto, deben tenerse en cuenta ciertas cosas. Recuerde, además, que cada persona tiene distintas preferencias gustativas, por lo que puede que lo que a usted le parezca perfecto resulte soso para otra persona.

Como norma, «rectificar la sazón» implica corregir de sal y pimienta. Si le gusta el sabor de una salsa (se trata de gustos personales), no añada nada. Sin embargo, si cree que le falta algo, compruebe los ingredientes de la receta para averiguar si puede añadir una pequeña cantidad de uno de ellos. Por ejemplo, a veces, cierta hierba aromática se usa para acentuar una salsa. Si no la puede discernir, añada un poco más.

TOQUES FINALES

A continuación encontrará algunos consejos para equilibrar ciertos aspectos de la salsa ya acabada. Generalmente se aplican a las salsas oscuras.

En las cocinas profesionales, las salsas oscuras suelen coronarse con pequeños trozos de mantequilla refrigerada antes de servirlas, una técnica llamada *monter au beurre* o montar con mantequilla. Tiene un triple efecto en la salsa: la espesa ligeramente, la hace más nutritiva y calórica y se consigue una textura más homogénea. Una vez añada la mantequilla, no vuelva a llevar la salsa a ebullición, ya que, de lo contrario, se cortará y flotará sobre la superficie, dejando la salsa grasienta. Las salsas con nata se pueden coronar con un poco de mantequilla, aunque creo que no es necesario en cuanto a sabor. La única ventaja es que puede añadir más valor nutritivo y calórico, así como brillo. Además de la mantequilla, que se añade en el último momento, a las salsas se les suele dar un toque final con hierbas aromáticas frescas picadas, ya que ayudan a concluir la receta y potenciar la salsa.

Espumar una salsa Espumar una salsa para eliminar la grasa y las impurezas siempre proporcionará buenos resultados. Se trata de uno de los pasos más importantes (aunque a veces se pasa por alto) para elaborar salsas y sopas finas, así como mermeladas. El espumado debe llevarse a cabo durante el proceso de cocción, para eliminar cuidadosamente cualquier impureza con un pequeño cucharón. Esto le asegurará que la salsa no quede turbia ni con un aspecto mate, sino clara y brillante.

Permitir que los sabores se desarrollen En el caso de ciertas salsas, principalmente las especiadas y los mojos asiáticos, la receta suele indicar que la salsa se deje reposar durante algunas horas después de elaborarla para que los sabores se mezclen. Así se asegurará de que los sabores surjan, que los ácidos se atemperen y que las hierbas aromáticas y las especias se intensifiquen, lo que dará lugar a una salsa más compleja y sabrosa.

Hierbas aromáticas frescas y secas y especias Con excepción del romero, el tomillo y el laurel secos, siempre prefiero emplear hierbas aromáticas frescas. Las hierbas aromáticas tiernas (como el cebollino, el estragón, la albahaca y el cilantro) deben picarse en el último momento, para luego incorporarlas a la salsa ya acabada. Las hierbas aromáticas duras (como el romero o el tomillo) pueden cocinarse junto con la salsa.

Al usar especias, es mejor majarlas o molerlas a medida que vaya necesitándolas, ya que pueden perder rápidamente sus propiedades durante la cocción. Compre las hierbas aromáticas y especias frescas con frecuencia y en pequeñas cantidades para que no se enrancien.

PREPARAR SALSAS CON ANTELACIÓN

La elaboración de salsas con antelación supone, sin duda, una gran ventaja para cualquier cocinero, aunque existen algunos factores que deben tenerse en cuenta. La principal preocupación consiste en mantener la salsa caliente, en condiciones seguras y lista para servir. Recalentarla y conservarla correctamente para usarla más tarde son otras preocupaciones importantes.

Mantener una salsa caliente y lista para servir Cuando una salsa está lista, debe mantenerse caliente en espera del momento de servirla. Para lograrlo, le sugiero el baño María. Como el calor es indirecto, está especialmente indicado para mantener tibias las salsas emulsionadas, como la holandesa, la bearnesa u otras salsas basadas en la mantequilla, que son menos estables que las clásicas salsas blancas y oscuras. También es ideal para conservar calientes otras salsas.

Coloque el cuenco (todavía caliente) con la salsa ya preparada en una cacerola o, mejor todavía, en una bandeja de horno. Añada agua caliente para que cubra los lados del cuenco y manténgala por debajo del punto de ebullición. Incluso aunque el agua del baño María hierva, el contenido del cuenco no lo hará. Una marmita doble constituye también un baño María.

Para evitar que se forme una costra sobre la superficie de la salsa ya acabada mientras la mantiene caliente, cúbrala con papel aceitado ligeramente enmantecado antes de introducirla en el baño María. He descubierto, con los años, que todas las salsas, y especialmente las emulsionadas, se pueden mantener calientes en un tarro (*véase* pág. 16, Los utensilios).

Recalentar una salsa Recalentar no implica volver a cocinar, sino, simplemente, dejar que vuelva a adquirir la temperatura que la salsa tenía. Algunas salsas (las que llevan nata y las blancas) requieren que se haga muy lentamente, ya que se queman con facilidad. Las salsas oscuras, sin embargo, se pueden volver a llevar a ebullición a fuego alto.

Conservar una salsa Deje enfriar por completo una salsa que desea conservar, antes de cubrirla con film plástico, para evitar que se forme una costra y para que no desarrollen bacterias. A continuación, ponga la salsa en el frigorífico, donde se conservará fría.

LOS UTENSILIOS

Cacerolas, cazos y sartenes Las cacerolas y los cazos de cobre de tiempo atrás para preparar las salsas han sido reemplazados por cacerolas y cazos más ligeros, de acero inoxidable, que son los que se usan con más frecuencia, incluso en las cocinas profesionales.

Disponga de cacerolas, cazos y sartenes de varios tamaños, preferiblemente de base gruesa y equilibrados, ya que transmitirán mejor el calor. Las cacerolas grandes son necesarias para preparar importantes cantidades de caldo. Evite comprar cacerolas, cazos y sartenes de aluminio, ya que reacciona con algunos ingredientes mientras se cocinan, como el ácido de los limones o el vinagre. Las sartenes antiadherentes están indicadas para freír especias, así que adquiera una, como mínimo. Un buen wok es otro utensilio útil, especialmente para preparar recetas asiáticas. Su calidad es muy variable, pero vale la pena adquirir uno de hierro colado de buena calidad, resistente y con la base gruesa. Al igual que las sartenes de hierro colado, no debe lavar el wok de la forma convencional con detergente, sino limpiarlo con un paño o papel de cocina y aceitarlo tras cada uso.

Tamices y coladores Como en el caso de las cacerolas, los cazos y las sartenes, vale la pena disponer de tamices de distintos tamaños y mallas: algunos para elaborar purés y salsas finos y otros para salsas claras. Cuanto más fino sea el tamiz, más refinada será la salsa acabada. Hace años se usaban paños a modo de tamiz para obtener salsas finas y brillantes, pero para la obtención de un tamizado excepcionalmente fino se han sustituido por el paño fino de muselina. En el caso de los tamices y los coladores, lo mejor es que sean de acero inoxidable, que no se oxidará con el tiempo.

Varillas Es importante disponer de unas varillas de acero inoxidable en forma de globo con un mango grande y firme. Disponer de varillas de distintos tamaños le permitirá usar las adecuadas para el tamaño del cazo: las de mayor tamaño sirven para montar claras y nata y una de menor tamaño para las salsas. De forma similar, las varillas rotativas se usan para montar claras o nata, pero no para elaborar salsas. Las pequeñas varillas en espiral son excelentes para pequeñas tareas y para acceder a los ángulos de los cazos mientras se elaboran las salsas. Aparte de las ventajas prácticas a la hora de preparar salsas, las varillas ayudan a añadir brillo, especialmente a las salsas blancas preparadas con fondo o leche.

Cucharas de madera y espátulas Las cucharas de madera son las mejores para preparar salsas y también para freír, ya que no transmiten calor. Además de ser económicas y fáciles de encontrar, el material es el mejor para usarse con las sartenes antiadherentes, que se rayan fácilmente. Las espátulas largas y flexibles son ideales para rebañar hasta la última gota de alimento de los cazos y para raspar los cuencos. Será útil que disponga de una selección variada.

Cucharones y espumaderas Los cucharones de acero inoxidable son muy útiles para pasar líquidos desde un cazo a un robot de cocina o a un colador, y para hacerlos pasar a través de un tamiz. Una vez más, disponer de una variedad de tamaños le facilita poder usar el que más le convenga en cada momento.

Las espumaderas son unas cucharas planas perforadas que se usan para eliminar la grasa y otras impurezas que flotan sobre la superficie de los fondos y las salsas.

Batidoras y robots de cocina En la actualidad, las batidoras facilitan enormemente la preparación de las salsas como el pesto. También sirven para triturar el alimento antes de hacerlo pasar a través de un tamiz para obtener una salsa de textura más fina. Las batidoras manuales son excelentes para triturar salsas en un cazo, especialmente pequeñas cantidades. Además, ocupan mucho menos espacio. Los robots de cocina hacen el mismo trabajo que las batidoras, además de picar, mezclar, rallar y cortar en rodajas, con sus distintas cuchillas.

En algunas recetas en las que las cantidades son mínimas, le recomiendo utilizar una batidora pequeña. Puede adquirir minibatidoras, que complementarán su batidora de vaso, aunque otra buena opción para las pequeñas cantidades de especias o de mezclas es un molinillo de café que usará sólo para este fin, para no transferir el sabor del café a sus salsas.

Ralladores La forma más fácil de rallar las cortezas de limón, de lima o de naranja es con un rallador microplano fino. Al contrario que con un rallador tradicional de cuatro lados, no queda todo pegado, no se lastimará los dedos y obtendrá unas tiras finísimas de ralladura que se disolverán en la salsa que esté preparando. Si adquiere uno con un rallador fino, además de uno medio, advertirá que le resultan versátiles en la cocina.

Mortero y mano de mortero Antes de disponer de batidoras y robots de cocina, buena parte del trabajo en la elaboración de salsas trituradas o majadas se realizaba con un mortero y una mano de mortero, un dúo versátil que se empleaba también para majar especias y preparaciones similares. Muchas salsas, especialmente las asiáticas, se basan en estos utensilios para elaborar salsas a partir de líquidos, de modo que si no dispone de ellos, le recomendaría que los adquiriera. Escoja uno grande y pesado con una superficie que no reaccione con ciertos alimentos. En Asia son, tradicionalmente, de piedra o granito, y son más eficaces que los de vidrio o madera.

Cuencos Una vez más, querrá disponer de una buena selección de cuencos de acero inoxidable de distintos tamaños. Son ideales para conservar salsas tamizadas y para preparar salsas y aderezos. Además de escoger distintos tamaños, elija algunos más planos y otros más hondos.

Bandejas de horno Se suelen usar para asar los huesos o las hortalizas para preparar salsas, y podemos emplearlas como baño María para conservar calientes las salsas contenidas en otro recipiente (*véase* pág. 15).

Jarras medidoras Son esenciales para medir volúmenes con precisión al seguir los pasos de una receta. Las mejores son las de acero inoxidable o las de vidrio endurecido. Las jarras de plástico cuentan con la ventaja de ser más ligeras y manejables cuando están llenas, pero se rayan fácilmente, lo que puede dificultar leer las mediciones.

Tarros Un tarro resulta especialmente útil para conservar todo tipo de salsas, calientes o frías, y desde una nutritiva y calórica salsa oscura a una delicada emulsión, como una salsa holandesa o bearnesa. Adquiera tarros resistentes y de buena calidad.

STOCKFISH
DAUBE
45
SOUPE AU PISTOU
40
45
PATES FRAICHES ou POLENTA
60
NAPOLITAINE
35
BOLOGNAISE
35
PISTOU
35
DAUBE
35
GRATIN D'AUBERGINE
45
45
Lou Pilha Leva
Poivron farci +salade+frites 45
Lasagnes+salade 45
Calamars à la Niçoise 45
Soupe au pistou 35
Ratatouille +salade +frites 40
Jambon +salade+frites 35
Poulet +salade+frites 35
Aïoli (Vendredi) 45
Pâtes fraiches 35
Porchetta+salade frites 45
PÂT

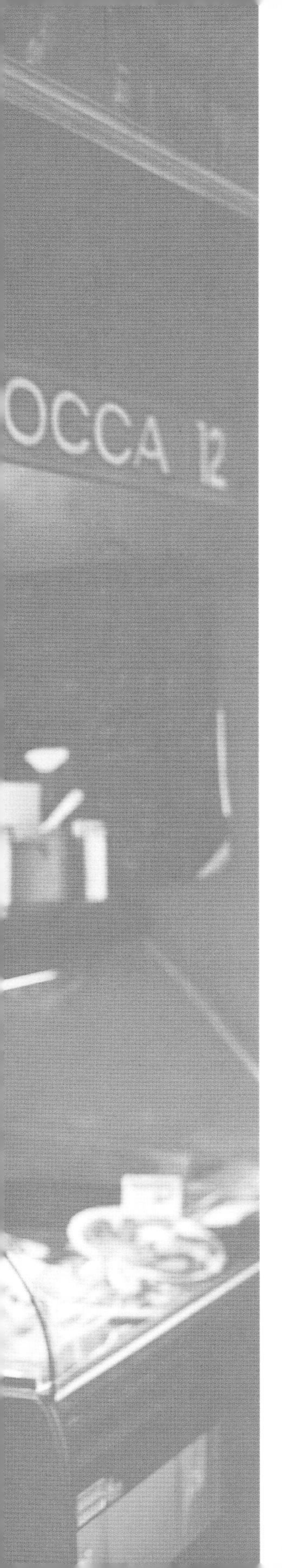

SALSAS FRANCESAS clásicas

Las salsas de la cocina francesa se remontan a la edad media, y creo que la fama de la cocina de este país se debe, en gran parte, a su repertorio de maravillosas salsas. Muchos platos sencillos de carne o de pescado se tornan elegantes cuando se sirven con una salsa bien preparada.

Para el principiante, el amplio surtido de salsas francesas puede ser desconcertante, e incluso agobiante. No obstante, aprender a preparar las básicas le proporcionará la confianza necesaria para elaborar otras muchas. Las recetas de esta recopilación se agrupan según su familia, o tipo de salsa, y se pueden preparar para adornar multitud de platos. ¡Que aproveche!

SALSAS EMULSIONADAS

Las salsas emulsionadas son salsas espesadas con yemas de huevo o mantequilla caliente (emulsiones calientes) o con aceite (emulsiones frías).

Entre estas salsas destacan la famosa mayonesa, la salsa holandesa y las salsas blancas basadas en la mantequilla, como la *beurre blanc*. En términos sencillos, están compuestas por una emulsión de gotitas de grasa (de mantequilla o aceite), combinadas con un líquido (vinagre, agua o caldo) y que a veces se estabilizan con yema de huevo, como en el caso de la mayonesa o de la salsa holandesa.

Estas salsas son refinadas, finas, ligeras y lujosamente sutiles. Con mucha frecuencia, los principiantes creen que son las más difíciles de dominar. Sin embargo, seguir las instrucciones al pie de la letra, con el tiempo, le reportará el éxito.

Consejo: clarificar mantequilla
La mayoría de las recetas clásicas requieren mantequilla clarificada. No es esencial, pero la salsa resultará mucho más cremosa y fina que con mantequilla derretida. La mantequilla clarificada puede calentarse a mayor temperatura que la mantequilla normal. Para preparar 100 g de mantequilla clarificada, derrita 120 g a fuego muy lento y llévela a ebullición a fuego lento. Retire la espuma de la superficie y vierta la mantequilla derretida suavemente en un cuenco, sin que caiga el sedimento lácteo depositado en el fondo del cazo. Puede conservarla en el frigorífico durante varias semanas.

SALSA HOLANDESA

La salsa holandesa es una de las grandes salsas clásicas y otras muchas derivan de ella. Es ligera, suave, sutil y deliciosa. ⊕ *Está especialmente indicada para el pescado hervido, los huevos escalfados y las verduras. La cantidad de la receta sirve para 8-10 raciones.*

Para preparar 400 ml

2 c/s de vinagre de vino blanco
2 c/s de agua
1 c/p de granos de pimienta blanca ligeramente majados
4 yemas de huevo de gallinas camperas
250 g de mantequilla sin sal clarificada (*véase* el consejo)
el zumo de ½ limón
sal y pimienta negra recién molida
una pizca de pimienta de cayena

1 Vierta el vinagre, el agua y los granos de pimienta majados en un cazo de base gruesa y lleve a ebullición. Baje el fuego y cueza a fuego lento 1 minuto o hasta que su volumen se reduzca una tercera parte.
2 Retire del fuego y deje enfriar. Cuele el líquido en un cuenco refractario. Añada las yemas de huevo y bata con unas varillas.
3 Coloque el cuenco sobre un cazo con agua muy caliente, con la base del cuenco justo por encima del agua. Bata la mezcla con unas varillas durante 5-6 minutos, o hasta que espese y se torne cremosa, homogénea y con una textura en forma de cintas.
4 Añada lentamente la mantequilla clarificada en un hilillo y bata la salsa con unas varillas hasta que resulte densa y brillante.
5 Agregue el zumo de limón, salpimiente y agregue un poco de pimienta de cayena.
6 Sírvala de inmediato o manténgala caliente al baño María durante 15-20 minutos. Para conservarla caliente también puede usar un termo.

Variantes de la salsa holandesa

HOLANDESA MALTESA (NARANJA SANGUINA)

Reemplace el zumo de limón de la salsa holandesa básica por la ralladura y el zumo de 2 naranjas sanguinas. Me encanta tomar esta salsa con espárragos.

Variantes de la salsa holandesa

SALSA HOLANDESA MUSELINA

Incorpore 75 ml de nata para montar ligeramente montada justo antes de servir. Resulta exquisita con espárragos o pescado cocido.

SALSA HOLANDESA CON MOSTAZA

Añada 1 c/s de mostaza de Dijon a la salsa acabada. Es un buen acompañamiento de pescado, verduras o pollo a la parrilla.

SALSA HOLANDESA CON JENGIBRE

Pele y ralle un trozo de jengibre fresco de 2,5 cm y caliéntelo con la mantequilla que va a clarificar y luego siga la receta principal. El jengibre aporta un toque interesante a esta salsa. Es ideal con pescado o marisco.

SALSA HOLANDESA CON CAVIAR

Esta salsa y la siguiente resultan ideales para cuando desee impresionar a alguien. Añada 2 c/s de caviar a la salsa acabada y sírvala con pescado cocido.

SALSA HOLANDESA CON TRUFA NEGRA

Añada 1 c/s de trufa negra fresca o en conserva picada a la salsa acabada. Es deliciosa con pescado, espárragos, alcachofas y huevos escalfados.

SALSA HOLANDESA CON GRANOS DE PIMIENTA VARIADOS

Agregue ½ c/p de granos de pimienta verde y de pimienta rosa ligeramente majados a la salsa final. Resulta ideal con pescado, entrecot, pato y chuletas de cordero.

SALSA HOLANDESA CON ALBAHACABA

Añada un puñado de hojas de albahaca a la salsa acabada. Resulta exquisita con pescado, marisco y huevos.

Consejo: arreglar una salsa holandesa o bearnesa que han cuajado

Ciertas salsas, especialmente las emulsionadas, como la holandesa, la bearnesa y la mayonesa fría, se cortan o cuajan fácilmente. Se puede solucionar de la siguiente manera:

Vierta una yema de huevo en un cuenco limpio junto con 1 c/s de agua y bata con unas varillas para mezclar bien. Bata lentamente, y vaya incorporando, poco a poco, la salsa cuajada a la mezcla, asegurándose de que quede homogénea antes de añadir más salsa cuajada. Como alternativa, puede incorporar, batiendo con unas varillas, agua helada o un cubito de hielo en la salsa cuajada. En ambos casos, la salsa deberá recuperar su estado de emulsión.

SALSA BEARNESA

Se trata, básicamente, de una salsa holandesa elaborada con una reducción de estragón y chalotas. Debido a su singular sabor se ha convertido en una de las salsas francesas más apreciadas. ⊕ *Se sirve, tradicionalmente, con entrecot a la parrilla, y también resulta exquisita con otras carnes a la parrilla, pollo y pescado.*

Para preparar 400 ml

15 g de estragón fresco
2 chalotas picadas
2 c/s de vinagre de vino blanco
2 c/s de agua
1 c/p de granos de pimienta blanca ligeramente majados
4 yemas de huevo de gallinas camperas
250 g de mantequilla sin sal clarificada (*véase* pág. 20, consejo)
el zumo de ½ limón
sal y pimienta negra recién molida
una pizca de pimienta de cayena
1 c/s de hojas de perifollo picadas

1 Separe las hojas de estragón de los tallos y píquelos gruesos, manteniéndolos separados. Introduzca las chalotas, el vinagre, los granos de pimienta majados y los tallos de estragón en un cazo de base gruesa y lleve a ebullición. Baje el fuego y reduzca el líquido a alrededor de unas 2 c/s.

2 Retire del fuego, deje enfriar, y cuele sobre un cuenco refractario. Añada las yemas de huevo al líquido y bata con unas varillas.

3 Coloque el cuenco sobre un cazo de agua muy caliente, con la base justo encima del agua. Bata la mezcla con unas varillas durante 5-6 minutos, o hasta que espese y adquiera una textura cremosa, homogénea y en forma de cintas.

4 Añada, lentamente, la mantequilla clarificada a modo de un hilillo fino y bata la salsa con unas varillas hasta que quede densa y brillante.

5 Añada el zumo de limón, salpimiente y sazone con pimienta de cayena. Añada las hojas de estragón y de perifollo.

6 Sírvala de inmediato o consérvela caliente al baño María (*véase* pág. 15) o en un termo.

Consejo: Cuando añada la mantequilla clarificada a las yemas del cuenco,
mantenga el cuenco estable sobre un paño de cocina húmedo o equilíbrelo sobre el cazo para que no se mueva mientras incorpora la mantequilla con las varillas sin dejar de batir.

Si la salsa bearnesa se corta o cuaja,
siga el consejo para arreglar una salsa holandesa en la pág. 23.

Variantes de la salsa bearnesa

SALSA BEARNESA CON PIMIENTA ROJA

Añada 3 c/s de pimienta roja triturada, en una batidora, a la salsa acabada. Resulta deliciosa con huevos escalfados, con salmón ahumado o cangrejo.

Variantes de la salsa bearnesa

SALSA BEARNESA CON ACEDERA

Sustituya el perifollo y las hojas de estragón por 20 g de hojas de acedera, en la salsa acabada, y elimine los tallos de estragón de la mezcla de vinagre.

SALSA BEARNESA (con menta)

Sustituya los tallos de estragón de la receta básica por tallos de menta y añada 2 c/s de hojas de menta picadas al final, para reemplazar las hojas de estragón y perifollo. Resulta ideal con cordero o con magret de pato.

SALSA BEARNESA (con tomate Chorón)

Añada 2 c/s de salsa de tomate bien reducida o de concentrado de tomate a la salsa acabada. Resulta deliciosa con entrecot, cordero, pollo y pescado blanco a la brasa.

SALSA BEARNESA CON NATA

Añada un buen chorro de nata a la salsa acabada para aligerarla. Es excelente con pescado o espárragos.

SALSA BEARNESA CON RÁBANO PICANTE

Añada 2 c/s de rábano picante en crema a la salsa acabada. Puede servirla con rosbif, aunque resulta deliciosa con entrecot o salmón a la parrilla.

Preparar salsas en una batidora

La mayoría de los chefs (entre los que me incluyo), a pesar del mundo mecanizado actual, prefieren preparar sus salsas emulsionadas, como la holandesa, la bearnesa y la mayonesa, con el método manual tradicional, es decir, con un cuenco y unas varillas.

Esto puede parecer innecesario si una batidora hace el mismo trabajo en mucho menos tiempo. Es un asunto de preferencias personales. Con ambos métodos, añadir la mantequilla o el aceite con demasiada rápidez puede dar lugar a una salsa cortada o cuajada. Si le sucede esto, no se asuste, ya que podrá arreglarlo.

Salsa holandesa: el método de la batidora

Siga la receta de la pág. 20, pero vierta la mezcla del vinagre, enfriada y colada, en la batidora junto con las yemas de huevo y la sal y la pimienta. Bata unos segundos hasta que se mezcle bien todo.

Con la batidora a la máxima potencia, añada la mantequilla en un fino hilillo y mezcle hasta que la salsa quede ligera, densa y espumosa. Añada el zumo de limón y rectifique la sazón.

Mayonesa: el método de la batidora

Vierta todos los ingredientes (*véase* pág. 30), excepto el aceite y el zumo de limón, en la batidora y bata unos segundos. Con la batidora a la máxima potencia, vierta el aceite en un fino hilillo. Añada el zumo de limón y rectifique la sazón.

Variantes de la salsa bearnesa

SALSA BEARNESA CON ACEITUNAS

Añada 2 c/s de aceitunas negras deshuesadas picadas finas a la salsa acabada. Es ideal con entrecot a la parrilla.

MAYONESA

Los huevos de la mayonesa mantienen el aceite en suspensión, mientras que el vinagre y el zumo de limón aportan acidez y sabor. Es una de las salsas más apreciadas, especialmente al servirla con pescado y carnes frías. Como podrá comprobar más adelante, una salsa base adecuadamente preparada nos ofrece muchas posibilidades para obtener otras salsas deliciosas.

La mayonesa comercial sirve para el uso diario, pero no hay nada mejor que la frescura de la recién preparada. Algunos chefs prefieren, además, emplear un poco de aceite de oliva en la receta, aunque, en mi opinión, el aceite de oliva resta cierto sabor natural, ya que algunos aceites de oliva tienen un sabor intenso que dominará en la salsa.

Para preparar 300 ml

2 yemas de huevo de gallinas camperas
1 c/p de mostaza de Dijon
1 c/p de vinagre de vino blanco
sal y pimienta negra recién molida
250 ml de aceite vegetal
2 c/p de zumo de limón

1 Asegúrese de que todos los ingredientes estén a temperatura ambiente, en especial los huevos y el aceite. De este modo, la emulsión será más sencilla.
2 Vierta las yemas, la mostaza y el vinagre en un cuenco. Añada una pizca de sal y pimienta.
3 Coloque el cuenco sobre un paño húmedo, para mantenerlo en equilibrio, y vierta el aceite gradualmente, en un hilillo fino, batiendo continuamente con unas varillas hasta que empiece a espesar y forme una emulsión.
4 Cuando haya incorporado todo el aceite y la mayonesa adquiera una textura densa, incorpore el zumo de limón y rectifique de sal y pimienta al gusto.

Consejo: para las personas preocupadas por las calorías, la mayonesa se puede preparar con el huevo entero, con lo que se conseguirá una salsa ligera, con menos calorías y más saludable. Para las personas que deben cuidar sus niveles de colesterol, el aceite de colza contiene ácidos grasos omega-3 y -6 y es uno de los aceites más saludables para el corazón. Se usa cada vez más para preparar salsas.

Arreglar una mayonesa cortada
Cuando una mayonesa se corta, se debe a que el aceite se ha añadido demasiado deprisa o a que el huevo o el aceite estaban demasiado fríos. A veces, la cantidad de aceite era excesiva para la proporción de huevo. Asegúrese de que todos los ingredientes estén a temperatura ambiente antes de usarlos.

Si, no obstante, la mayonesa se corta, añada una yema de huevo y un poco de mostaza en un cuenco. Incorpore lentamente, y batiendo con unas varillas, la salsa cortada. En los casos en los que el huevo y el aceite estaban demasiado fríos, incorpore, batiendo con unas varillas, un poco de agua hirviendo para estabilizar la salsa.

Variantes de la mayonesa

SALSA SEVILLA

Corone la mayonesa básica con zumo de naranja, en lugar de zumo de limón y añada un poco de ralladura de naranja. Está exquisita con espárragos cocidos.

Variantes de la mayonesa

MAYONESA LIGERA

Incorpore a la mayonesa básica 100 ml de nata para montar ligeramente montada.

SALSA *GRIBICHE*

Use yemas de huevo duro pasadas por un tamiz, en lugar de yemas crudas, y siga la receta básica. Añada 1 c/s de alcaparras escurridas y picadas, otra de perifollo picado y otra de pepinillos picados, y vierta 1 c/p de salsa Worcestershire a la salsa ya acabada. Es ideal con el pescado.

MAYONESA CON PESTO

Añada 4 c/s de salsa pesto (*véase* pág. 77) a la receta básica. Resulta deliciosa con alcachofas frías o como mojo para *crudités* de hortalizas.

SALSA *TYROLIENNE*

Añada a la receta básica 2 c/s de concentrado de tomate, ½ c/p de salsa de chile picante y una pizca de hierbas aromáticas frescas picadas. Esta salsa es perfecta para servir con pescado frito o pollo frío.

ALIOLI

Añada, al principio, 4 dientes de ajo majados a las yemas de huevo y proceda como en la receta básica. A veces se incorpora, en esta fase, un poco de puré de patata a las yemas. Es muy adecuada para el pescado o como mojo para hortalizas, pan, etc.

SALSA *ROUILLE*

Agregue una pizca de azafrán, 1 c/p de concentrado de tomate, 1 guindilla roja picada fina y ¼ c/p de pimienta de cayena a la receta básica. Se sirve con bullabesa u otras sopas de pescado, pero también acompaña muy bien el pescado frito.

SALSA DE AGUACATE

Añada ½ aguacate pelado a la receta básica y mezcle todo en un robot de cocina junto con 1 c/p de zumo de limón. Es excelente con salmón cocido frío.

MAYONESA CON HINOJO

Agregue 2 c/s de hojas de hinojo o de eneldo picadas, y 2 c/p de licor de anís, como Pernod, a la receta básica.

SALSA TÁRTARA

Añada 1 c/s de pepinillos picados finos, otra de alcaparras escurridas y picadas, otra de perejil de hoja fina, otra de perifollo y otra de chalotas picadas. Se sirve, tradicionalmente, con pescado frito.

SALSA *REMOULADE*

Añada 1 c/p de filetes de anchoa picados finos y 2 c/s de estragón picado a la receta de la salsa tártara. Sírvala con carnes y pescados fríos y con pescado frito.

MAYONESA CON VINO TINTO

Vierta en una sartén 250 ml de un buen vino tinto, una ramita de tomillo y un poco de pimienta negra molida y redúzcalo hasta obtener un jarabe. Añádale 1 c/s de jalea de grosellas rojas, tamícela y déjela reposar para que se enfríe. Incorpore esta mezcla a la receta de la mayonesa básica y sírvala con carnes frías, especialmente con rosbif.

MAYONESA CURRY

(salsa indienne)

Añada 1 c/s de curry en polvo a la receta básica.

SALSA MIL ISLAS

Añada 3 c/s de ketchup, 1 c/s de chalotas picadas y ½ c/p de pimiento morrón rojo y verde a la receta básica.

SALSA VERDE

Agregue 100 g de espinacas cocidas trituradas, un manojo de berros y 1 c/s de perifollo, otra de estragón y otra de cebollino picados. Ponga en marcha el robot y añada a la receta básica.

SALSAS CALIENTES DE MANTEQUILLA

También se las conoce con el nombre de salsas blancas de mantequilla o *beurre blanc*, una salsa caliente basada en el vino y el vinagre, reducida con chalotas, rematada con mantequilla y montada hasta que queda homogénea. Se sirve, tradicionalmente, con platos de pescado.

BEURRE BLANC

Se trata de otro tipo de salsa caliente de mantequilla emulsionada que, según dicen, se creó por casualidad a finales del siglo XIX, cuando un cocinero que trabajaba para la aristocracia francesa se olvidó de incluir huevos en una salsa bearnesa. Es sabrosa y fácil de preparar.

Para preparar 300 ml

2 chalotas picadas finas
3 c/s de vinagre de vino blanco
4 c/s de vino blanco seco
2 c/s de agua fría
200 g de mantequilla sin sal, refrigerada y en dados
sal y pimienta negra recién molida
un chorrito de zumo de limón

1 Introduzca las chalotas, el vinagre y el vino blanco en un cazo y lleve a ebullición. Baje el fuego y reduzca durante 2 minutos, hasta que quede, aproximadamente, 1 c/s y tenga una textura de jarabe.
2 Con el cazo a fuego bajo, añada el agua e incorpore, sin dejar de batir con unas varillas, la mantequilla poco a poco hasta que emulsione.
3 Salpimiente y añada zumo de limón al gusto.

Consejo: un chorro o dos de nata de montar añadidos a la reducción del vino ayudarán a estabilizar la salsa si debe conservarla durante algún tiempo, aunque tenderá a perder parte de su sabor a mantequilla.

Variantes de la *beurre blanc*

MANTEQUILLA A LA NANTESA

Esta prima hermana (a veces intercambiable) de la salsa *beurre blanc* se prepara con las mismas cantidades de vino y vinagre de vino, lo que proporciona a la salsa un sabor más ácido. Incremente la cantidad de vinagre de vino blanco de la receta principal a 4 c/s y reduzca la mezcla hasta obtener 2 c/s. Está exquisita con pescados azules.

BEURRE BLANC CON ALBAHACA

Añada 2 c/s de albahaca fresca picada a la salsa.

BEURRE BLANC CON HIERBAS AROMÁTICAS

Se trata de una salsa con un sabor delicioso. Añada 3 c/s de su hierba aromática favorita. La chalota, el perifollo y el perejil resultan muy indicados.

BEURRE BLANC CON VINO ROSADO

El vino da un hermoso tono rojizo a la salsa de mantequilla. Reemplace el vino blanco por rosado y el vinagre por vinagre de vino tinto. Remate con una cucharada de caldo de carne reducido (opcional).

BEURRE BLANC CON SALSA DE SOJA Y TOMATE

Añada 1 c/s de salsa de soja ligera y 75 ml de salsa de tomate reducida antes de incorporar la mantequilla, sin dejar de batir, con unas varillas. Antes de servirla, pásela por un tamiz fino. Resulta exquisita con salmón o vieiras.

BEURRE BLANC CON AZAFRÁN

Añada una pizca de hebras de azafrán a la reducción antes de incorporar la mantequilla, sin dejar de batir, con unas varillas. Proceda como en la receta básica.

BEURRE BLANC CON JENGIBRE Y LIMÓN

Agregue 1 c/s de jengibre fresco rallado a la reducción antes de incorporar la mantequilla, sin dejar de batir, con unas varillas. Remate con 1 c/p de ralladura de limón. Es deliciosa con pescado azul.

BEURRE BLANC CON BERROS

Añada un puñado de hojas de berros trituradas a la salsa acabada y cuélela para obtener una maravillosa mantequilla verde y con un sabor fresco.

Otras salsas calientes de mantequilla

A continuación se ofrece una lista de salsas sencillas y parecidas a base de mantequilla:

MANTEQUILLA AVELLANA O *BEURRE NOISETTE* (salsa oscura de mantequilla)

Caliente 75 g de mantequilla con sal durante 1-2 minutos en una sartén a fuego medio, o hasta que aparezca espuma y adquiera un color dorado y oscuro, como de frutos secos. Añada un chorrito de zumo de limón y viértala sobre pescado u hortalizas fritos.

BEURRE NOIR (salsa negra de mantequilla)

Prepárela igual que en el caso de la mantequilla avellana, pero cocine la mantequilla durante 20-30 segundos más, o hasta que adquiera un color oscuro. Se sirve, tradicionalmente, con raya frita y alcaparras.

BEURRE FONDU (salsa de mantequilla clarificada)

Lleve a ebullición 4 c/s de agua, e incorpore, sin dejar de batir con unas varillas, 150 g de mantequilla con sal, fría y cortada en dados, hasta que haya emulsionado. Remate con un chorrito de limón. Se suele servir con espárragos, junto o en lugar de la salsa holandesa. A veces se usa para recalentar hortalizas listas para servir.

MANTEQUILLAS COMPUESTAS

(salsas frías de mantequilla con sabores)
También conocidas con el nombre de salsas duras de mantequilla, estas salsas con sabores pueden ser dulces para sobre postres (*véase* pág. 218). Lo mejor de estas salsas es que se pueden preparar con antelación y conservarse en el frigorífico o el congelador hasta que las necesite.

Existen algunos consejos importantes que hay que recordar al preparar estas mantequillas: asegúrese de que la mantequilla esté a temperatura ambiente y blanda antes de batirla, pique finos los ingredientes que añada antes de incoporarlos a la mantequilla. Por último, deje reposar la mantequilla 30 minutos antes de enrollarla en el papel, para permitir que los sabores impregnen la mantequilla.

MANTEQUILLA MAÎTRE *D'HÔTEL* (mantequilla con perejil)

⊕ *Se trata de la más popular de las salsas frías de mantequilla, y se sirve con pescado, entrecot u hortalizas a la parrilla.*

Para preparar una variante, puede sustituir el perejil por otras hierbas aromáticas, como el estragón, la albahaca o el tomillo.

200 g de mantequilla sin sal ablandada de buena calidad
sal marina y pimienta negra recién molida
una pizca de pimentón
3 c/s de perejil de hoja plana picado fino
el zumo de ¼ de limón

1 Ponga la mantequilla ablandada en un cuenco y condiméntela con sal, pimienta y pimentón. Añada el perejil y el zumo de limón y bata para mezclarlo todo bien.
2 Deje reposar durante 30 minutos, enrolle la mantequilla, en forma de una salchicha, en papel aceitado o papel de aluminio y retuerza los bordes, de forma que parezca un bombón. Refrigérela o congélela hasta que la necesite.
3 Para servir, retire la mantequilla de su rollo de papel, déjala ablandarse un poco unos 2-3 minutos y córtela en rodajas de 1,5 cm de anchura. Colóquela sobre la carne o el pescado cocinados y se fundirá lentamente sobre el alimento. ¡Es delicioso!

Variantes

MANTEQUILLA CON MARISCO

Reemplace el perejil por 125 g de gambas, bogavante o cigalas pelados. Incorpore 1 c/p de concentrado de tomate, un buen chorro de brandy y el zumo de otro ¼ de limón. Es excelente con pescado y marisco.

MANTEQUILLA CON MERLOT
Vierta 100 ml de vino merlot y chalota picada fina en un cazo y redúzcalo hasta 2 c/s. Añada la reducción a la mantequilla en lugar del pimentón, el perejil y el zumo de limón. Esta salsa acompaña bien un entrecot a la parrilla.

MANTEQUILLA CON ROQUEFORT
Añada 50 g de queso Roquefort desmenuzado en lugar del pimentón, el perejil y el zumo de limón.

MANTEQUILLA CON BOLETOS
Deje en remojo 10 g de boletos secos en 160 ml de agua y 50 ml de madeira durante 1 hora. Cuézalo a fuego lento 5 minutos, retire los boletos y déjelos enfriar. Reduzca el líquido hasta obtener un jarabe y déjelo enfriar. Pique finos los boletos y añádalos, con el líquido reducido, a la mantequilla.

MANTEQUILLA PARA CARACOLES
Agregue 1 c/p de ajo majado, use sólo 2 c/s de perejil y no emplee el pimentón y el zumo de limón. Sírvala con caracoles, hortalizas o carnes a la parrilla.

MANTEQUILLA CON FOIE GRAS
Añada 50 g de foie gras triturado y 2 c/s de madeira en lugar del pimentón, el perejil y el zumo de limón.

MANTEQUILLA CON PIMENTÓN AHUMADO
Añada a la mantequilla 1 c/p de pimentón ahumado en lugar del perejil y el zumo de limón. Está muy indicada para carnes y pescados a la parrilla.

MANTEQUILLA CAFÉ DE PARÍS
Reemplace el perejil y el zumo de limón por 2 c/s de ketchup, 1 c/p de mostaza de Dijon y ½ c/p de alcaparras, 1 chalota, 2 filetes de anchoa en conserva enjuagados y picados finos, 1 c/p de cebollino y 1 c/p estragón picados y mezcle todo bien. Incorpore un chorrito de madeira o brandy.

MANTEQUILLA CON MOSTAZA
Añada 1 c/p de mostaza a la antigua en lugar del pimentón y el zumo de limón y use sólo 2 c/s de perejil. Acompaña muy bien los pescados.

MANTEQUILLA CON HINOJO Y AZAFRÁN
Infusione unas hebras de azafrán en 4 c/s de agua. Incorpore la infusión a la receta básica junto con ½ c/p de semillas de hinojo tostadas en lugar del pimentón, el perejil y el zumo de limón.

MANTEQUILLA PARA ENTRECOT
Reemplace el perejil y el zumo de limón por 4 anchoas en conserva picadas muy finas.

SALSAS BLANCAS

Bechamel es el nombre que recibe la clásica salsa blanca elaborada con leche y un *roux* claro. Constituye la base de muchas salsas excelentes, como la famosa salsa de queso: la salsa mornay. Si se prepara correctamente, una buena bechamel tiene un aspecto homogéneo y cremoso, y no denso o pastoso. Como muchas de las grandes salsas francesas clásicas, la salsa bechamel suele reemplazarse, en la actualidad, en muchas cocinas de los restaurantes, por una salsa elaborada completamente con nata. Además, en ocasiones, la bechamel preparada a la manera clásica se remata con una o dos cucharadas de nata.

Consejo: si tiene prisa, puede adoptar el método del «todo en uno»: no deje la leche en infusión, sino introduzca todos los ingredientes (excepto la cebolla, los clavos de especia y la hoja de laurel) en un cazo a fuego lento y remueva continuamente hasta que la salsa hierva y se espese. Siga removiendo continuamente durante 3-4 minutos. Condimente con sal, pimienta y nuez moscada y añada la nata, si la usa.

BECHAMEL

La cebolla con clavos de especia incrustados aporta más sabor a la base de leche.

Para preparar 600 ml

1 cebolla pequeña cortada por la mitad
4 clavos de especia
600 ml de leche entera
1 hoja de laurel pequeña
45 g de mantequilla sin sal
45 g de harina
un poco de sal y pimienta negra recién molida
un poco de nuez moscada recién rallada
60 ml de nata para montar (opcional)

1 Incruste 2 clavos de especia en cada media cebolla e introdúzcalas en un cazo junto con la leche y la hoja de laurel. Lleve a ebullición y cueza a fuego lento durante 4-5 minutos, para que se infusione.
2 En otro cazo, derrita la mantequilla, añada harina y cuézala durante 30-40 segundos, removiendo frecuentemente con una cuchara de madera hasta que el *roux* tenga un color amarillo pálido.
3 Cuele la leche con un colador fino y bátala vigorosamente para incorporarla en el *roux*, hasta que la salsa tenga un aspecto homogéneo y sedoso.
4 Lleve, lentamente, la bechamel a ebullición, baje el fuego y cueza durante 20 minutos a fuego lento, batiendo de vez en cuando hasta que la salsa quede homogénea y brillante.
5 Condimente con sal, pimienta y nuez moscada e incorpore la nata, si la usa.

Variantes de la bechamel

SALSA MORNAY (salsa de queso)

Se prepara, tradicionalmente, con gruyère u otro queso suizo, y resulta excelente para revestir hortalizas como la coliflor, los puerros y el brécol. Añada, simplemente, 100 g de gruyère o cheddar rallado y 1 c/p de mostaza de Dijon a la salsa acabada, una vez retirada del fuego. Incorpore 2 yemas de huevo de gallinas camperas mezcladas con 4 c/s de nata ligeramente montada.

SALSA BECHAMEL CON HUEVO Y MOSTAZA

Añada, a la salsa acabada, 2 c/p de mostaza de Dijon y 2 c/s de cada uno de los siguientes ingredientes: nata y huevos duros de gallinas camperas y perejil de hoja plana picados gruesos. Resulta deliciosa cuando se sirve sobre pescado cocido, especialmente abadejo o platija.

SALSA BECHAMEL CON ALCAPARRAS

Agregue, a la salsa acabada, 50 g de alcaparras bien enjuagadas y picadas gruesas y el zumo de ¼ de limón. Es exquisita con un huevo pasado por agua o con una pierna de cordero cocida. Si la sirve con el cordero, añada también 150 ml del líquido de cocción.

SALSA *SOUBISE*

Blanquee 2 cebollas grandes o 4 chalotas picadas durante 2 minutos en agua hirviendo. Escúrralas y saltéelas con 50 g de mantequilla hasta que queden muy tiernas, pero no doradas. Añádalas a la salsa bechamel básica, junto con una pizca de azúcar, y cocínela, sin dejar de remover, durante 15-20 minutos. Bátala en una batidora hasta que quede homogénea e incorpore, sin dejar de remover, 100 ml de nata para montar. Sirva esta salsa con cordero o cerdo.

SALSA CON UVAS ESPINAS

Conocí esta salsa por primera vez mientras era aprendiz en el sudoeste de Inglaterra: es una salsa local clásica que se sirve con caballa a la parrilla, y sigue siendo una de mis favoritas. Escalfe, 15 minutos, 100 g de uvas espinas frescas en 100 ml de agua con 2 c/s de azúcar blanquilla; añada la bechamel de la receta básica y cocínela durante 2-3 minutos. Pásela a una batidora de vaso y póngala en marcha hasta que quede homogénea y cremosa, o use una batidora de mano.Si no encuentra uvas espinas, puede sustituirlas por kiwi.

VELOUTÉ

La salsa *velouté*, que se prepara de la misma forma que la bechamel, es una salsa homogénea y aterciopelada que se elabora con un *roux* y un fondo claros (de ternera, ave o pescado). Es importante que el fondo sea de la máxima calidad, para así obtener el mejor resultado posible. Muchos chefs han abandonado la *velouté* clásica en favor de una salsa preparada con nata reducida y condimentos, aunque se trata de un asunto de conveniencia y sabor. A continuación se muestran las recetas de ambas.

VELOUTÉ CLÁSICA

Para preparar 600 ml

1 l de un buen fondo de ave, ternera o pescado (*véanse* págs. 8-9)
60 g de mantequilla sin sal
60 g de harina
sal y pimienta negra recién molida

1 Lleve el fondo a ebullición. En otro cazo, derrita la mantequilla y remueva para obtener un *roux* claro.
2 Incorpore el fondo con una cuchara de madera, use después unas varillas y lleve la mezcla a ebullición. Espume cualquier impureza que se forme en la superficie.
3 Cueza a fuego lento hasta que se reduzca un tercio y tamícela.

VELOUTÉ MODERNA

La reducción de vino, junto con los condimentos, dan lugar a una salsa más nutritiva y calórica que la versión clásica.

Para preparar 600 ml

4 chalotas picadas
un poco de tomillo fresco, si usa fondo de ave o ternera, o 100 g de champiñones pequeños, si usa un *fumet*
15 g de mantequilla sin sal
300 ml de vino blanco seco
400 ml de un buen fondo de ave, ternera o pescado (*véanse* págs. 8-9)
375 ml de nata para montar

1 Rehogue las chalotas y el tomillo con la mantequilla en un cazo hasta que queden tiernos. Añada el vino y lleve a ebullición.
2 Baje el fuego y cueza durante 20-25 minutos a fuego lento o hasta que el líquido se haya reducido dos terceras partes y adquiera una consistencia como la del jarabe.
3 Añada el fondo, vuelva a llevar la mezcla a ebullición y cuézala a fuego fuerte durante 20 minutos más, o hasta que se reduzca a la mitad. Agregue la nata, vuelva a llevar a ebullición, baje el fuego y cueza a fuego lento hasta que se haya reducido a la mitad. Debería haber espesado lo suficiente para recubrir el reverso de una cuchara. Cuélela antes de usarla.

Variantes de la *velouté*

Escoja el tipo de fondo, de forma que combine con el plato que va a servir.

SALSA AURORA (*Velouté* con tomate)

Añada 100 ml de salsa fresca de tomate (*véase* pág. 58) o de *passata* a la salsa acabada. Resulta deliciosa con pescado, cangrejo o bogavante cocidos.

VELOUTÉ CON FINAS HIERBAS

Agregue 2 c/s de su hierba aromática favorita a la salsa acabada. Me gusta usar una mezcla de perifollo, estragón y cebollino. Resulta exquisita con pescado cocido, marisco y platos de carne blanca.

VELOUTÉ CON ANCHOAS Y MOSTAZA

Añada 1 c/p de mostaza de Dijon y 1 c/p de esencia de anchoa a la salsa acabada. Queda deliciosa con pescado cocido, especialmente con lenguado o mero.

VELOUTÉ DE SETAS SILVESTRES

Agregue 75 g de setas silvestres salteadas a la salsa acabada, o 10 g de setas secas dejadas en remojo durante 1 hora, escurridas y añadidas a la salsa básica junto con el líquido del remojo. Si prefiere una salsa homogénea, bátala en una batidora.

VELOUTÉ DE MARISCO

La *velouté* también se puede preparar con los jugos de cocción de mariscos (como mejillones, almejas) en lugar del fondo. Habitualmente, para servirla, se añade el marisco a la salsa.

Variante de la *velouté*

VELOUTÉ CON AZAFRÁN

Añada una buena pizca de hebras de azafrán a 4 c/s de agua o fondo en ebullición e incorpórelo en la salsa acabada. Sírvala con pescado o marisco, como vieiras cocidas. También añado un poco de tomate y albahaca picados.

SALSAS OSCURAS

JUS DE TERNERA LIGERAMENTE ESPESADO

Hace tiempo, esta salsa oscura se conocía con el nombre de *demi-glace* (semiglaseada), y fue el pilar principal de la cocina francesa clásica. Llevaba casi dos días prepararla y constituía la base de muchas de las famosas salsas oscuras clásicas. En la actualidad ha desaparecido en favor de una salsa más ligera llamada *jus* (jugo), que se puede preparar con carne, pollo, carne de caza, pescado y hortalizas y da lugar a una salsa más clara, refinada, que no requiere tanto tiempo y que los cocineros actuales prefieren. Debe ser espesa y brillante y recubrir ligeramente la parte posterior de una cuchara.

Para preparar 600 ml

3 c/s de aceite vegetal
350 g de recortes de ternera
150 g de alas de pollo picadas de forma basta en trozos pequeños
4 chalotas picadas
100 g de setas o de recortes de setas
1 zanahoria picada gruesa
1 diente de ajo aplastado
½ c/s de concentrado de tomate
una ramita de tomillo fresco
1 hojita de laurel
300 ml de vino blanco seco
600 ml de agua
1,5 l de fondo oscuro de ternera, buey o ave (*véase* pág. 9)
1 c/s de harina de arrurruz mezclada con un poco de agua

Consejo: como la ternera puede ser cara y difícil de encontrar, puede usar recortes de buey.

1 Caliente el aceite en una cacerola y, cuando esté muy caliente, añada los trozos de carne. Fríalos unos 20 minutos a fuego fuerte, sin dejar de remover, hasta que estén dorados.
2 Añada las hortalizas y el ajo y siga friendo 10 minutos más, hasta que queden dorados y caramelizados. Agregue el concentrado de tomate, el tomillo y la hoja de laurel y cocínelos 2-3 minutos más.
3 Añada el vino y el agua y lleve a ebullición; raspe el sedimento del fondo de la cacerola.
4 Cueza, sin tapar, 20 minutos o hasta que el líquido se haya reducido dos terceras partes. Añada el fondo, vuelva a llevar a ebullición y cueza a fuego lento, sin tapar, durante 20-25 minutos para reducirlo, una vez más, a la mitad; vaya espumando regularmente para eliminar cualquier impureza.
5 Incorpore, sin dejar de remover, el arrurruz. Cocine 2 minutos y cuélelo.

JUS DE AVE LIGERAMENTE ESPESADO

Siga la receta anterior del *jus* de ternera ligeramente espesado, pero sustituya los recortes de ternera por alas de pollo o huesos de pato. Las salsas basadas en el *jus* que se ofrecen a continuación se preparan con *jus* de ternera, pero puede usarlo de ave.

Salsas oscuras basadas en el *jus*

SALSA BORDELESA

Se trata de una de las grandes salsas francesas para acompañar un entrecot salteado o piezas de ternera asadas. Ponga 3 chalotas picadas finas en una cacerola junto con 250 ml de un buen vino tinto, una ramita de tomillo, 6 granos de pimienta majados y 1 hojita de laurel. Lleve a ebullición y redúzcalo a la mitad. Añada 300 ml de *jus* y cueza durante 10 minutos a fuego lento y sin tapar. Filtre la salsa a través de un colador fino y agregue 50 g de médula ósea limpia (dejada en remojo durante 5 minutos en agua tibia). Escúrrala, incorpore un buen trozo de mantequilla fría, sin dejar de batir, con unas varillas y salpimiente al gusto.

Variante de la salsa oscura

SALSA DIABLA

Lleve a bullición
3 chalotas picadas, 6 granos de pimienta negra majados, 1 hoja de laurel y una ramita de tomillo, 100 ml de vino blanco seco y 75 ml de vinagre de vino blanco. Redúzcalo a la mitad y añada 300 ml de *jus* básico de ternera. Cuézalo a fuego lento, sin tapar, 10 minutos. Cuélelo, incorpore 1 c/s de salsa Worcestershire y un trozo de mantequilla y salpimiente.

SALSA CHATEAUBRIAND

Se trata de otra gran salsa ideal para entrecots. Dore en mantequilla 3 chalotas picadas, algunos recortes de champiñones, un poco de tomillo y una hoja de laurel. Añada 100 ml de vino blanco seco y cueza 10 minutos a fuego lento sin tapar. Agregue 200 ml de *jus* y cueza 5 minutos más y cuélela. Recaliéntela para servirla, ponga 50 g de mantequilla *maître d'hôtel* (*véase* pág. 36) y 1 c/s de estragón. Salpimiente al gusto.

SALSA ROBERT

Es una de las grandes salsas francesas clásicas. La mostaza aporta un toque picante. Se sirve, tradicionalmente, con cerdo, pero también me gusta tomarla con pollo. Para obtener una variante de esta salsa, que también resulta deliciosa con la carne de cerdo, añada algunos pepinillos picados finos para obtener una salsa *charcutière*. Caliente 1 c/s de mantequilla en un cazo y añada una cebolla pequeña picada fina. Cocínela 8-10 minutos a fuego lento, hasta que esté cocida, pero no dorada. Vierta 100 ml de vino blanco seco y 2 c/s de vinagre de vino blanco y redúzcala a la mitad. Añada 300 ml de jus y cocine 15 minutos. Cuélela, presionando las cebollas para extraer todo el sabor posible. Caliente la mezcla y añada la mostaza de Dijon y otra c/s de mantequilla. Salpimiente al gusto y sirva.

SALSA *POIVRADE*

Rehogue 1 diente de ajo aplastado, 1 chalota picada, 1 zanahoria pequeña picada y un tallo de apio picado junto con 10 g de mantequilla. Añada 200 ml de vino tinto y 75 ml de vinagre de vino tinto junto con una ramita de tomillo y 1 hojita de laurel y cueza 10 minutos sin tapar. Añada 12 granos de pimienta negra ligeramente majados, 200 ml de *jus* de ternera, cueza 5 minutos a fuego lento y filtre a través de un colador fino. Incorpore un buen trozo de mantequilla fría, bata con unas varillas y salpimiente al gusto.

SALSA *REFORM*

Rehogue 2 chalotas picadas en un poco de mantequilla, añada 150 ml de vino tinto y deje que se reduzca a la mitad. Añada 200 ml de *jus* y vuelva a dejar que se reduzca a la mitad. Incorpore 2 c/s de jalea de grosellas rojas y filtre a través de un colador fino. Incorpore, batiendo con unas varillas, un trozo de mantequilla fría y salpimiente al gusto.

TAPENADE

Rehogue unas chalotas en un poco de mantequilla. Añada 100 ml de vino blanco seco y cueza 5 minutos sin tapar. Agregue 250 ml de *jus* de ternera y cueza 10 minutos. Añada 2 c/s de *tapenade* (*véase* pág. 74), incorpore, sin dejar de batir, un buen trozo de mantequilla fría y salpimiente al gusto.

JUS CON VINO FORTIFICADO

Caliente 200 ml de *jus*, junto con 100 ml de madeira, oporto o marsala. Cueza 5 minutos, incorpore un buen trozo de mantequilla fría, sin dejar de batir con unas varillas, y salpimiente a gusto.

SALSA *PÉRIGOURDINE*

Si quiere obtener un sabor lujoso, caliente 150 ml de *jus* fortificado con madeira (*véase* receta anterior) y añada 1 c/s de trufas frescas o en conserva picadas. Cueza 2-3 minutos a fuego lento, incorpore, batiendo con unas varillas, un buen trozo de mantequilla fría y salpimiente al gusto.

JUS DE CAZA

Esta sabrosa salsa se usa como salsa básica para los platos de caza en general. Aunque lo cierto es que la mayoría de la gente no cocina carne de caza en casa, he pensado que valía la pena incluir esta receta para los pocos que la cocinen.

Para preparar 750 ml

2 c/s de aceite vegetal
750 g de recortes de carne de caza cortados en trozos pequeños
25 g de mantequilla sin sal
2 zanahorias picadas
1 cebolla picada
una ramita de tomillo
1 hoja de laurel
10 granos de pimienta negra ligeramente majados
2 c/s de vinagre de vino tinto
20 g de harina
150 ml de vino tinto
600 ml de fondo de caza o de ternera (*véase* pág. 9)
600 ml de agua
½ c/p de bayas de enebro

1 Caliente el aceite en una cacerola de base gruesa. Añada los recortes de carne de caza y fríalos unos 20 minutos, hasta que estén dorados. Incorpore la mantequilla, las hortalizas, las finas hierbas y los granos de pimienta y fríalos hasta que queden caramelizados.
2 Añada al vinagre y caliéntelo durante 1 minuto. Agregue la harina, mezcle bien y cocínelo todo 5 minutos a fuego lento. Vierta el vino, el fondo y el agua y lleve a ebullición, espumando cualquier impureza que flote sobre la superficie.
3 Añada las bayas de enebro y cueza durante 45 minutos a fuego lento sin tapar y vaya espumando. Filtre a través de un colador fino.

Variantes

Las salsas tradicionales que se presentan a continuación son variantes del *jus* de caza explicado anteriormente y siguen los principios franceses clásicos. Se sirven con la carne de caza sabrosa y de sabor fuerte, como la de venado o liebre.

SALSA *POIVRADE* DE CARNE DE CAZA

Ponga 4 c/s de jalea de grosellas rojas, 1 c/s de granos de pimienta negra majada y 100 ml de vino tinto en un cazo. Cueza durante unos 3-4 minutos a fuego medio, hasta que se haya reducido y parezca un jarabe. Añada el *jus* de caza, filtre y remate con 100 ml de oporto.

SALSA *GRAND-VENEUR*

Siga la receta de la salsa *poivrade* (*véase* página anterior), pero incorpore, sin dejar de batir con unas varillas, 100 ml de nata para montar y un buen trozo de mantequilla, junto con oporto, a la salsa antes de servirla.

SALSA *SALMIS*

Añada 100 ml de jugo de trufa y 150 ml de jerez de buena calidad al *jus* de caza acabado para obtener un sabor sabroso y caramelizado.

JUGOS DE LA SARTÉN Y DE ASADOS

Los jugos de la sartén son, en esencia, una de las formas más fáciles que tiene un cocinero de preparar una salsa. Consisten en los jugos caramelizados que quedan tras freír carne, aves o pescado, y elaborará la salsa al momento, en la sartén, mientras la carne reposa fuera de la misma. Este método de preparación de salsas se conoce como *desglasado*, que significa, simplemente, que los jugos de la sartén se enjuagan con un líquido (generalmente vino, fondo, nata o *jus* de carne) para que se desprenda cualquier trozo caramelizado.

Los jugos de asado se obtienen de los jugos de la carne que quedan en la bandeja tras asar o freír. Suele retirarse cualquier exceso de grasa antes de añadir el vino o el fondo. A veces se incorpora harina a la grasa y se dora unos minutos antes de añadir el líquido, lo que da como resultado unos jugos de asado más espesos. Algunos chefs espesan sus jugos de asado añadiendo un poco de *beurre manié* (*véase* pág. 12) o reduciendo el fondo en la bandeja hasta que espese de forma natural.

Aquí le ofrezco algunas de mis salsas preferidas.

POLLO DE CORRAL SALTEADO A LA CAZADORA

Para 4 personas

2 c/s de aceite vegetal
15 g de mantequilla sin sal
1 pollo de corral de unos 1,5 kg cortado en trozos
sal y pimienta negra recién molida
100 ml de vino blanco seco
100 g de champiñones laminados
400 g de tomates en conserva picados
2 c/s de hojas de estragón recién picadas
150 ml de jus de ave ligeramente espesado (*véase* pág. 44)

1 Caliente el aceite y la mantequilla en una sartén de base gruesa. Salpimiente generosamente los trozos de pollo y añádalos a la sartén.
2 Fría el pollo unos 8-10 minutos, hasta que quede completamente dorado y cocido. Resérvelo en un plato y consérvelo caliente.
3 Desglase la sartén con el vino y lleve a ebullición durante 1 minuto, removiendo los jugos de cocción caramelizados antes de añadir los champiñones, los tomates y el estragón.
4 Cocine durante 5 minutos para que los sabores se infusionen. Añada el *jus* de ave a la sartén y cocine 2 minutos más.
5 Viértalo sobre el pollo y sirva.

ENTRECOT «BALSÁMICO A LA PIMIENTA»

Un chorrito de vinagre balsámico añadido a la versión clásica del entrecot a la pimienta nos permite obtener algo ligeramente distinto.

Para 4 personas

1 c/p de granos de pimienta negra ligeramente majados
2 c/p de granos de pimienta verde en salmuera escurridos y enjuagados
4 entrecots, de 200 g cada uno
2 c/p de aceite vegetal
15 g de mantequilla sin sal
1 c/s de vinagre balsámico
2 c/s de brandy
100 ml de *jus* de ternera ligeramente espesado (*véase* pág. 44)
50 ml de nata para montar
sal y pimienta negra recién molida

1 Mezcle los granos de pimienta negra y verde y presiónelos ligeramente sobre la superficie de ambos lados de los entrecots.
2 Caliente el aceite y la mantequilla en una sartén de base gruesa y, cuando estén calientes, añada los entrecots. Cocínelos por ambos lados a su gusto: 2-3 minutos por lado si prefiere la carne poco hecha, 4-5 minutos por lado si le gusta al punto y 7-8 minutos por lado si le gusta bien hecha. Colóquelos en un plato, cúbralos con papel de aluminio y consérvelos calientes.
3 Desglase la sartén con el vinagre balsámico y el brandy y caliente durante 1 minuto a fuego lento, vaya removiendo los jugos de cocción caramelizados mientras el líquido se reduce.
4 Añada el *jus* de ternera y la nata y cocine durante 2-3 minutos, hasta que la salsa quede lo suficientemente espesa para recubrir la parte posterior de una cuchara.
5 Salpimiente, viértala sobre los entrecots y sirva.

HÍGADO DE TERNERA A LA VENECIANA

⊕ *Esta salsa queda excelente no sólo con vísceras, sino también con carne de cerdo o de buey o servida sobre un puré de patatas cremoso.*

Para 4 personas

2 c/s de aceite vegetal
25 g de mantequilla
8 filetes finos de hígado de ternera de 90 g cada uno
1 cebolla en láminas muy finas
8 hojas de salvia picadas gruesas
90 ml de vino blanco seco
60 ml de marsala
100 ml de *jus* de ternera ligeramente espesado (*véase* pág. 44)
sal y pimienta negra recién molida

1 Caliente el aceite junto con 15 g de la mantequilla en una sartén de base gruesa. Cuando estén muy calientes, añada los filetes de hígado, en grupos, y fríalos 2½ minutos por cada lado. Resérvelos en un plato, tápelos con papel de aluminio y consérvelos calientes.
2 Añada la cebolla y la salvia y fríalas unos 3-4 minutos, hasta que la cebolla esté tierna y ligeramente dorada.
3 Desglase la sartén con el vino y vaya removiendo los jugos de cocción caramelizados.
4 Añada el marsala y el *jus* de ternera y cueza durante 2-3 minutos. Salpimiente al gusto e incorpore, sin dejar de batir con unas varillas, la mantequilla restante a la salsa. Sírvala vertiéndola sobre el hígado.

JUGOS DE ASADO BÁSICOS

Esta receta sirve para acompañar cualquier pieza de carne asada, ya se trate de carne, aves o caza. En condiciones ideales, debería usar el fondo adecuado para potenciar los jugos de asado: fondo de cordero para el cordero asado, fondo de ave para el pollo asado, etc.

Para preparar 600 ml

25 g de harina

600 ml de un buen fondo caliente: el tipo variará según la clase de asado (*véase* págs. 8-9)

sal y pimienta negra recién molida

1 Tras asar la pieza de carne, colóquela en un plato caliente y déjela reposar. Retire el exceso de grasa de la rustidera, dejando aproximadamente 2 c/s.

2 Sobre el fuego, y con una cuchara de madera, raspe los jugos caramelizados de la rustidera y añada la harina, para incorporarla a la grasa y a los jugos.

3 Cocine durante 2 minutos, hasta que la harina se haya dorado ligeramente.

4 Añada el fondo y lleve a ebullición; vaya removiendo constantemente. Cueza hasta que la salsa espese y se reduzca un tercio.

5 Salpimiente al gusto, filtre a través de un colador fino y sirva.

Variantes

JUGOS DE ASADO CON FINAS HIERBAS Y MOSTAZA

Añada un puñado de sus hierbas aromáticas favoritas (como romero, tomillo o salvia) a los jugos de asado en reducción. Incorpore, sin dejar de batir con unas varillas, 1 c/s de mostaza de Dijon antes de colarla.

JUGOS DE ASADO INFUSIONADOS EN VINO

Reemplace 100 ml de fondo por 100 ml de vino tinto o blanco u oporto y vaya añadiéndolo gradualmente, igual que haría con el fondo.

JUGOS DE ASADO CON CERVEZA

Añada un botellín de cerveza negra (en lugar de la misma cantidad de fondo) a los jugos de asado. Resultan deliciosos con rosbif o carne de cerdo.

SALSAS DE HORTALIZAS

Las salsas de hortalizas no sólo aportan color a un plato, sino también un toque de frescor. Son ideales para las recetas vegetarianas (si se emplea fondo de hortalizas) y los platos ligeros. Este tipo de salsa, cuya base está constituida total o parcialmente por hortalizas trituradas, suele recibir el nombre de *coulis* (*véanse* también los *coulis* de frutas, pág. 211). Como guía básica, las cantidades mencionadas son para 8 raciones, aunque dependerá de cómo y con qué use cada una.

SALSA DE PIMIENTOS MORRONES

⊕ *Es deliciosa con pescado cocido al vapor, pasta y hortalizas.*

Para preparar 450 ml

2 pimientos morrones rojos, verdes o amarillos, in las semillas y picados
45 g de mantequilla sin sal
una buena pizca de azúcar
200 ml de fondo de hortalizas (*véase* pág. 10) o de agua
una ramita de tomillo
100 ml de nata para montar
sal y pimienta negra recién molida

1 Introduzca los pimientos picados en una cacerola con 15 g de mantequilla y el azúcar.
2 Tápela y rehogue los pimientos a fuego lento hasta que comiencen a quedar tiernos. Añada el fondo o el agua y el tomillo y lleve a ebullición.
3 Baje el fuego y cueza durante 15-20 minutos a fuego lento y sin tapar.
4 Retire el tomillo y vierta la mezcla en una batidora. Bata para obtener un puré, y páselo por un colador chino.
5 Recaliente la salsa e incorpore la nata y la mantequilla restante, sin dejar de batir, con unas varillas. Salpimiente al gusto.

SALSA DE GUISANTES Y MENTA

⊕ *Resulta excelente con salmón cocido o con espárragos cocidos o al vapor. También queda muy bien con raviolis de queso de cabra. Para obtener una variante puede reemplazar la menta por albahaca.*

Para preparar 450 ml

300 ml de fondo de hortalizas o fondo claro de ave (*véanse* págs. 8 y 10)
150 g de guisantes frescos (o congelados)
un puñadito de hojas de menta
60 ml de nata
10 g de mantequilla sin sal
sal y pimienta negra recién molida

1 Vierta el fondo en una cacerola y lleve a ebullición. Añada los guisantes y las hojas de menta y vuelva a llevar a ebullición.
2 Cueza durante 5-6 minutos en el caso de los guisantes frescos, o 2 minutos si son guisantes congelados, y pase la mezcla a una batidora. Tritúrela hasta que quede homogénea y pásela a la cacerola a través de un colador chino.
3 Recaliente la salsa y añada la nata. Incorpore la mantequilla, sin dejar de batir, con unas varillas y salpimiente al gusto.

SALSA DE CALABAZA

Esta salsa resulta deliciosa con setas silvestres de temporada o con pasta. Es imprescindible para el otoño.

Para preparar 750 ml

2 c/s de aceite de oliva
30 g de mantequilla sin sal
350 g de calabaza pelada y sin las semillas cortada en trozos de 1,5 cm
2 chalotas picadas finas
1 diente de ajo majado
500 ml de fondo de hortalizas o fondo claro de ave (*véanse* págs. 8 y 10)
100 ml de nata
una pizca de canela molida
sal y pimienta negra recién molida

1 Caliente el aceite y 20 g de la mantequilla en una cacerola, añada los trozos de calabaza y tape. Cuézalos durante 5 minutos a fuego medio, hasta que estén tiernos y ligeramente caramelizados.
2 Añada las chalotas y el ajo y cueza durante 2-3 minutos más.
3 Incorpore el fondo y cueza durante alrededor de 8-10 minutos.
4 Bata la mezcla en una batidora hasta que quede homogénea. Cuélela a través de un colador chino mientras la vierte en la cacerola.
5 Incorpore la nata y la mantequilla restante, sin dejar de batir, con unas varillas y lleve a ebullición. Añada la canela y salpimiente.

TARTALETAS DE CHALOTAS CON SETAS SILVESTRES Y SALSA DE CALABAZA

Para 4 personas

350 g de chalotas pequeñas
150 g de azúcar
30 g de mantequilla sin sal
100 ml de vinagre de jerez
½ c/p de hojas de tomillo fresco
350 g de masa de hojaldre ya preparada (fresca o congelada) extendida finamente
225 g de una selección de setas silvestres
2 c/s de aceite de oliva
sal y pimienta negra recién molida
la mitad de la cantidad de la salsa de calabaza (*véase* receta anterior) caliente

1 Blanquee las chalotas durante 4-5 minutos en agua hirviendo, escúrralas y déjelas enfriar.
2 Vierta el azúcar a un cazo y caliéntelo, sin dejar de remover, hasta que caramelice.
3 Añada 20 g de mantequilla y remueva.
4 Agregue las chalotas blanqueadas, el vinagre de jerez y el tomillo y siga cociendo hasta que el caramelo recubra por completo las chalotas y éstas estén tiernas y bien cocidas. Páselas a un cuenco y déjelas enfriar.
5 Precaliente el horno a 180 °C. Cuando la mezcla de las chalotas esté fría, repártala entre 4 tartaletas de 9-10 cm de diámetro y colóquelas sobre una rustidera.
6 Con un cortapastas, corte 4 discos de hojaldre de 9-10 cm de diámetro y dispóngalos sobre las tartaletas rellenas de chalotas.
7 Derrita la mantequilla restante y pincele la parte superior de las tartaletas. Hornéelas 15-20 minutos.
8 Mientras, saltee las setas en una sartén con el aceite, salpimiéntelas y consérvelas calientes.
9 Desmolde las tartaletas, con el lado de las chalotas hacia arriba y dispóngalas en 4 platos. Coloque, encima de cada una, las setas silvestres, vierta la salsa de calabaza a su alrededor y sírvalas.

SALSA DE BOLETOS

Si desea usar boletos frescos, reemplace los secos por 175 g de boletos frescos lavados y picados, cocinados en un poco de mantequilla, al principio de la receta.

⊕ *Esta salsa es deliciosa con ternera o pollo o añadida a un* risotto *de setas, ñoquis o pasta.*

Para preparar 300 ml

10 g de boletos secos
150 ml de fondo de ave (o de hortalizas) caliente (*véanse* págs. 8 y 10)
25 g de mantequilla sin sal
2 chalotas picadas
50 ml de oporto
50 ml de madeira
60 ml de nata para montar
3 c/s de *jus* de ave ligeramente espesado (*véase* pág. 44, opcional)
sal y pimienta negra recién molida

1 Deje los boletos 30 minutos en remojo en el fondo y cuele; reserve el líquido y los boletos por separado.
2 Caliente 10 g de la mantequilla en una cacerola y añada los boletos rehidratados y las chalotas. Tape y rehogue 5 durante minutos a fuego lento.
3 Añada el oporto, el madeira y el fondo reservado y lleve a ebullición. Cueza durante 2-3 minutos.
4 Triture la mezcla en una batidora, hasta que quede homogénea, y cuélela a través de un colador chino, en la cacerola.
5 Añada la nata y el *jus* de ave (si lo usa) y cocine durante 3-4 minutos. Incorpore la mantequilla restante, sin dejar de batir, salpimiente al gusto y sirva.

SALSA DE ESPÁRRAGOS Y LIMÓN

⊕ *También suelo añadir al fondo uno o dos tallos de hierba limonera picados, junto con los recortes de los espárragos. Con esta adición o sin ella, la salsa es deliciosa servida con pescado o marisco, como el bogavante o las vieiras, o con puerros enanos y colmenillas con la mantequilla.*

Para preparar 450 ml

300 g de puntas de espárragos pulidas (conserve los recortes) y picadas
250 ml de fondo de hortalizas o fondo claro de ave (*véanse* págs. 8 y 10)
20 g de mantequilla sin sal
60 ml de nata para montar
½ c/p de ralladura fina de limón
sal y pimienta negra recién molida

1 Introduzca los recortes de los espárragos en una cacerola junto con el fondo y cuézalos durante 10-15 minutos a fuego lento para que infusionen; cuele el líquido y reserve sólo el fondo.
2 Caliente la mitad de la mantequilla en una cacerola, añada los espárragos y cocínelos, tapados, durante 5 minutos.
3 Añada el fondo y deje que hierva unos 5-8 minutos, hasta que los espárragos estén tiernos.
4 Incorpore la nata y cocine 2 minutos más. Tritúrelo todo con una batidora hasta que quede homogéneo.
5 Cuele la salsa a través de un colador chino, mientras la vierte en la cacerola puesta al fuego e incorpore la mantequilla restante y la ralladura de limón, sin dejar de batir con unas varillas. Salpimiente al gusto.

SALSAS VARIADAS

Se trata de un grupo independiente de salsas que constituyen la base de muchos grandes platos de la cocina francesa.

JUS DE PESCADO AROMATIZADO CON VINO TINTO

Esta salsa tiene toques profesionales, pero es fácil prepararla en casa. ⊕ *Es exquisita con pescado asado o como base para cocinar a fuego lento un pescado de carne firme (como el rape).*

Para preparar 600 ml

50 g de mantequilla sin sal fría
4 chalotas picadas gruesas
150 g de champiñones pequeños o de recortes de champiñones
1 hoja de laurel
una ramita de tomillo fresco
600 g de espinas de pescado blanco (lenguado, rape o mero) picadas
400 ml de vino tinto con cuerpo
100 ml de oporto
250 ml de fondo de ave o de ternera (*véase* pág. 9)
45 ml de nata para montar

Consejo: algunos chefs coronan la salsa, al igual que hago yo, transformando la mantequilla restante en una mantequilla *noisette* (*véase* pág. 35), que se incorpora a la salsa, después de la nata, batiendo con unas varillas. Creo que aporta a la salsa un sabor más redondo, aunque resulta deliciosa de cualquiera de las dos formas.

1 Caliente 25 g de la mantequilla en una cacerola de base gruesa, añada las chalotas, los champiñones, la hoja de laurel y el tomillo. Cocine durante 4-5 minutos, hasta que las hortalizas estén ligeramente doradas.
2 Ponga las espinas de pescado encima de las hortalizas, tape la cacerola y cueza 2-3 minutos.
3 Añada el vino y cueza durante 5 minutos a fuego lento y sin tapar.
4 Vierta el oporto y vuelva a llevar a ebullición. Baje el fuego y cueza 25 minutos más a fuego lento.
5 Cuele la salsa a través de un colador chino, mientras la vierte en otra cacerola y lleve a ebullición.
6 Incorpore la nata y la mantequilla restante cortada en trocitos, sin dejar de batir, con unas varillas hasta que quede homogénea.

Variantes

JUS CON CILANTRO Y VINO TINTO

Es una salsa excelente para acompañar pescados de carne firme, como la lubina, el mero o el rodaballo. Añada 2 c/s de cilantro picado al final y cocínelo durante 1 minuto en la salsa para que se impregne de su sabor.

Como alternativa puede sustituir el cilantro por otra hierba aromática: el estragón y el perejil de hoja plana combinan especialmente bien.

JUS DE ANCHOAS

El sabor de la anchoa añade un toque a esta salsa; resulta deliciosa con lenguado o rodaballo. Agregue 1 c/p de esencia de anchoa a la salsa acabada.

JUS CON MOSTAZA A LA ANTIGUA Y VINAGRE BALSÁMICO

Añada 2 c/p de vinagre balsámico y 1 c/p de mostaza a la antigua al finalizar la cocción de la salsa. Es excelente con pescado blanco asado o a la parrilla.

JUS VEGETARIANO

Esta salsa ha brindado muchas posibilidades a los cocineros de recetas vegetarianas y ha evolucionado en los últimos 10-15 años con la aparición y el aumento de la popularidad de la cocina vegetariana. La caramelización óptima de las hortalizas es vital para que se desprendan los sabores naturales y, al mismo tiempo, mejorar el color y el aspecto de la salsa.

Para preparar 1 l

2 c/s de aceite vegetal
4 chalotas picadas
150 g de zanahorias picadas gruesas
50 g de apio picado grueso
2 dientes de ajo majados
una pizca de azúcar
200 g de champiñones o de recortes de champiñones picados
4 tomates maduros picados
1 c/s de concentrado de tomate o de *passata*
2 ramitas de tomillo
1,5 l de fondo oscuro de hortalizas (*véase* pág. 10)
100 ml de madeira
45 ml de oporto
1 c/s de salsa de soja ligera
20 g de arrurruz mezclado con un poco de agua

1 Caliente el aceite en una cacerola y añada las chalotas, las zanahorias, el apio, el ajo y el azúcar. Fríalos a fuego medio unos 15 minutos, hasta que estén dorados.
2 Añada los champiñones y fríalos durante 3-4 minutos hasta que estén dorados. Añada los tomates, el concentrado de tomate y el tomillo y cocínelos, tapados, 5 minutos.
3 Vierta el fondo y lleve a ebullición. Espume cuaquier impureza y cueza 15 minutos a fuego lento.
4 Añada el madeira, el oporto y la salsa de soja y cueza 30 minutos más a fuego lento.
5 Incorpore la harina de arrurruz para espesar ligeramente la salsa y pásela por un colador chino.

Variantes

JUS CON SETAS SILVESTRES Y TRUFA

Para obtener una salsa con un sabor más intenso a setas, reemplace los champiñones por 20 g de setas silvestres secas puestas en remojo en agua 20 minutos. Luego proceda como en la receta básica. Al final, corone la salsa colada; incorpore 2 c/p de aceite a la trufa y 10 g de mantequilla, mientras bate con unas varillas.

JUS AL REGALIZ

Es una salsa sorprendente que me gusta vertida sobre un *risotto* cremoso o sobre coliflor o calabaza. Añada 2 c/s de regaliz tierno picado junto con los vinos y la salsa de soja y proceda como en la receta básica.

JUS AL ESTILO BULLABESA

Esta salsa se creó siguiendo los principios de la famosa salsa o sopa de pescado provenzal y resulta especialmente deliciosa servida con hortalizas como las espinacas, los espárragos, los puerros o el hinojo cocido a fuego lento. Reemplace los champiñones por 2 pimientos rojos picados.

SALSA DE LENTEJAS Y TOMATE

Se trata de una salsa con un sabor delicioso y terrero que resulta excelente con hortalizas rellenas, como las berenjenas rellenas de arroz. Añada 100 g de lentejas en remojo, 2 c/s de vinagre balsámico y 200 g de tomates picados, al mismo tiempo que el fondo, y proceda como en la receta básica.

SALSA DE TOMATE

Los tomates son disponibles en todo el mundo. Los encontrará casi en todas las secciones de este libro. Esta salsa de tomate es sencilla, aunque muy eficaz y versátil para cualquier cocinero. Al contrario que su hermana siciliana (*véase* pág. 87), que es más rústica, es fina y homogénea.

No caiga en la tentación de triturar la salsa con una batidora o un robot de cocina, ya que podría perder su maravilloso color rojo intenso. Si los tomates no están tan maduros ni son tan rojos como le gustaría, no tema reemplazarlos por tomates en conserva de buena calidad. De hecho, la mayoría de los chefs y cocineros italianos los prefieren, ya que los tomates en conserva de buena calidad suelen tener un sabor y un color excelentes.

Para preparar 1 l

15 g de mantequilla sin sal
4 c/s de aceite de oliva
2 chalotas (o 1 cebolla grande) picadas
una ramita de tomillo
1 hojita de laurel
3 dientes de ajo majados
1 kg de tomates pera en rama muy maduros, sin las semillas y picados (o 2 latas de 400 g)
2 c/s de concentrado de tomate
1 c/s de azucar lustre
100 ml de zumo de tomate (opcional)
sal y pimienta negra recién molida

1 Ponga la mantequilla y el aceite en una cacerola y añada las chalotas, el tomillo, la hoja de laurel y el ajo. Rehóguelos a fuego bajo hasta que las chalotas estén tiernas y translúcidas.
2 Añada los tomates, el concentrado de tomate, el azúcar y el zumo de tomate (si lo usa). Lleve a ebullición, baje el fuego y cueza durante 20-25 minutos a fuego lento sin tapar.
3 Use un cucharón para pasar la salsa por un colador chino. Salpimiente al gusto.

Variante

SALSA DE TOMATES ASADOS

Use sólo tomates frescos para prepararla. Córtelos por la mitad, frótelos con un poco de ajo y dispóngalos en una rustidera. Vierta el aceite de oliva y esparza las hojas de tomillo por encima. Salpimiéntelos ligeramente y áselos durante 40 minutos en un horno precalentado a 120 °C, hasta que estén muy tiernos. Añada los tomates asados en el paso 2 de la receta básica y proceda como en la receta principal.

SALSA DE TOMATES CRUDOS

En mi opinión, esta salsa sólo puede elaborarse con éxito durante el verano, cuando los tomates madurados en la rama son suculentos y tienen un sabor dulce. Un pasapurés o un colador chino proporcionarán los mejores resultados, aunque una batidora también será adecuada. ⊕ *Resulta ideal con pasta, pescado y marisco.*

Para preparar 500 ml

450 g de tomates pera en rama muy maduros picados
1 c/s de concentrado de tomate
10 hojas de albahaca
1 c/s de azúcar lustre
2 c/s de vinagre de jerez o de frambuesa
100 ml de aceite de oliva
sal y pimienta negra recién molida

1 Mezcle, en un cuenco, los tomates, el concentrado de tomate, la albahaca, el azúcar y el vinagre. Tápelo y déjelo durante 2 horas a temperatura ambiente.
2 Triture la mezcla con un molinillo (o una batidora) para obtener una salsa homogénea.
3 Incorpore el aceite, sin dejar de batir, con unas varillas, salpimiente al gusto y sirva a temperatura ambiente. Es preferible usar la salsa rápidamente, mientras su sabor sea fresco.

SALSA AMERICANA

Esta salsa de marisco aprovecha los caparazones de bogavantes, langostinos o cangrejos y da como resultado una maravillosa salsa con nata para platos de pescado.

Para preparar 1 l

75 g de mantequilla sin sal
500 g de caparazones de bogavante, langostinos o cangrejos cortados en trocitos
1 ramita de apio picada fina
1 zanahoria picada fina
1 cebolla picada fina
2 dientes de ajo majados
100 ml de brandy
75 g de harina
150 ml de vino blanco seco
6 tomates grandes picados gruesos
3 c/s de concentrado de tomate
10 g de hojas de estragón
1 l de fondo de pescado (o de ave) (*véanse* págs. 8 y 9)
8 granos de pimienta blanca majados
100 ml de nata para montar

1 Caliente la mantequilla en una cacerola de base gruesa y añada los caparazones. Fríalos durante 2-3 minutos.
2 Añada las hortalizas picadas y el ajo y cocínelos 5 minutos más. Incorpore el brandy y cocine 1 minuto más.
3 Añada la harina y prepare un *roux* alrededor de los caparazones y las hortalizas. Cocínelo 2-3 minutos, vierta el vino y cocine 2-3 minutos más.
4 Incorpore los tomates, el concentrado de tomate, el estragón y el fondo y lleve a ebullición, sin dejar de remover.
5 Añada los granos de pimienta y cueza 40 minutos a fuego lento, espumando cualquier impureza.
6 En otra cacerola, lleve la nata a ebullición e incorpórela a la salsa. Pase la salsa por un colador chino.

VINAGRETAS Y ALIÑOS

La vinagreta, que es una salsa emulsionada, también constituye un aliño para las ensaladas, y es una de las salsas frías más fáciles de preparar. Siempre dispongo de vinagreta clásica en el frigorífico: no sólo da vida a una ensalada, sino que también contribuye al sabor básico. Para obtener una buena vinagreta, hago hincapié en dos cosas: un vinagre de la mejor calidad, como el de vino blanco, de cava, de jerez, de vino tinto o balsámico, junto con una mezcla de un aceite de oliva suave y un aceite sin sabor. En general, una relación de tres o cuatro partes de aceite por una parte de vinagre nos proporcionará una vinagreta muy aceptable.

Le incluyo mi receta favorita de vinagreta clásica junto con algunas variantes bien contrastadas.

VINAGRETA CLÁSICA

Para preparar 150 ml

2 c/s de mostaza de Dijon
2 c/s de vinagre de vino tinto de buena calidad
sal y pimienta negra recién molida
65 ml de aceite vegetal o de girasol
65 ml de aceite de oliva suave

1 Mezcle, en un cuenco, la mostaza y el vinagre con un poco de sal y pimienta.
2 Incorpore, gradualmente, los aceites (uno de cada vez); viértalos en un hilillo fino y vaya batiendo constantemente con las varillas hasta que emulsionen. Rectifique el punto de sazón.

Consejo: en el mercado hay algunos aceites de oliva muy interesantes, y creo que en futuro serán más populares, así que esté atento. Un aceite de oliva ahumado en una vinagreta clásica aportará un matiz original a una ensalada.

Variantes de la vinagreta

VINAGRETA DE AJO

Añada 1 diente de ajo majado en el cuenco junto con la sal y la pimienta. Proceda como en la receta básica y déjela reposar 1 hora antes de usarla para permitir que los sabores se desarrollen.

VINAGRETA CON ACEITE DE FRUTOS SECOS

Use vinagre de jerez en lugar del vinagre de vino y reemplace el aceite de oliva por aceite de avellana o de nuez. Proceda como en la receta básica.

VINAGRETA *RAVIGOTE*

Añada 1 c/s de cada uno de estos ingredientes picados a la vinagreta básica: pimiento asado, alcaparras, pepinillo, huevo duro, perejil de hoja plana y chalotas. Es exquisita con pescado a la parrilla, alcachofas, espárragos y pescado ahumado.

VINAGRETA NIZARDA

Agregue, a la vinagreta básica, la ralladura de ¼ de limón, 1 c/s de alcaparras picadas, otra de aceitunas negras y otra de albahaca picada, junto con 2 filetes de anchoa picados finos y 2 tomates maduros picados y sin las semillas. Sírvala con puerros a la parrilla, espárragos, pescado a la parrilla y marisco, o sobre un queso feta o un queso de cabra gratinado.

VINAGRETA CON ANÍS

Aporta un espléndido matiz de anís al aliño. Triture, en una batidora, 1 chalota, 1 diente de ajo majado y 1 c/p de granos de pimienta verde, junto con la vinagreta básica. Pase la salsa a un cuenco y añada 1 c/p de ralladura de limón, una pizca de anís molido y 1 c/s de Pernod. Déjela reposar una hora antes de usarla para que los sabores se desarrollen.

VINAGRETA CÍTRICA

Añada el zumo y la ralladura de 1 lima o limón a la vinagreta básica, junto con ½ c/p de azúcar.

VINAGRETA CON MIEL Y MOSTAZA

Caliente, en un cazo, 1 c/s de mostaza a la antigua y 2 c/s de miel fluida, e incorpore esta mezcla caliente a la vinagreta básica.

VINAGRETA CON FINAS HIERBAS

Añada 1 c/s de: perifollo, estragón, cebollino, perejil y menta picados a la vinagreta básica. Como alternativa, use sólo una hierba aromática.

VINAGRETA CON TOFU Y VINAGRE BALSÁMICO

Triture, en una batidora, 50 g de tofu sedoso, 1 diente de ajo majado, 1 c/s de cilantro fresco y 4 c/s de agua. Añada esta mezcla a una vinagreta básica preparada con un vinagre balsámico de buena calidad (añejo, si es posible).

ENSALADA DE CALABAZA CARAMELIZADA Y QUESO DE CABRA

Es importante que utilice un queso duro para esta receta, lo que implica usar un queso curado.

Para 4 personas

1 c/s de aceite de oliva
10 g de mantequilla sin sal
1 calabaza pelada, sin las semillas y cortada en trozos de 2,5 cm
6 lonchas de tocino cortadas en trozos
un puñadito de nueces cortadas por la mitad
sal y pimienta negra recién molida
4 c/s de vinagreta con miel y mostaza (*véase superior*)
un buen manojo de berros pulidos
1 queso de cabra firme, de unos 80 g, congelado

1 Caliente el aceite y la mantequilla en una sartén grande. Fría la calabaza unos 3-4 minutos, hasta que esté dorada.
2 Añada el tocino y las nueces y sofríalos. Siga cocinando hasta que la calabaza esté tierna y conserve su forma. Salpimiente.
3 Agregue la vinagreta y caliente 1 minuto.
4 Pase la calabaza a un plato y esparza los berros.
5 Retire el queso de cabra del congelador y rállelo fino por encima de la ensalada. Sirva de inmediato.

VINAGRETAS CREMOSAS

Las vinagretas resultan deliciosas cuando se transforman en aliños cremosos con la adición de un poco de nata baja de calorías, yogur, mayonesa, quesos blandos o requesón.

ALIÑO CON ROQUEFORT

Introduzca 75 g de Roquefort (o de otro queso azul) en una batidora con 90 ml de nata, 2 c/p de vinagre de jerez y 4 c/s de aceite de oliva. Tritúrelo, junto con 2 c/s de agua tibia.

ALIÑO CON QUESO BLANCO TIERNO

Caliente, a fuego lento, 50 ml de nata hasta casi alcanzar el punto de ebullición. Añada 100 g de camembert, brie o un queso tierno de cabra. Retire del fuego y remueva hasta que se haya derretido. Déjelo reposar y añádalo a la vinagreta básica.

ALIÑOS PARA ENSALADA TIBIOS Y COCINADOS

Los aliños para ensalada tibios son excelentes durante los meses estivales para aquellos que disfrutan con las salsas ligeras. Son un acompañamiento ideal para el pescado, los mariscos y el pollo a la parrilla. Pueden prepararse con antelación y recalentarse a fuego lento.

SALSA *VIERGE*

⊕ *Se trata de un aliño tibio con matices provenzales para pescados y mariscos.*

Para preparar 150 ml

90 ml de aceite de oliva virgen extra
1 diente de ajo majado
2 filetes de anchoa pequeños en aceite escurridos y picados finos (opcional)
2 tomates pera sin las semillas y cortados en daditos
el zumo de ½ limón
2 c/s de albahaca fresca picada
1 c/s de perejil de hoja plana picado
sal y pimienta negra recién molida

1 Caliente el aceite y el ajo en un cazo y añada las anchoas (si las emplea) y los tomates. Caliente 2 minutos a fuego lento para que los sabores se potencien y para ablandar los tomates.
2 Incorpore, sin dejar de remover, el zumo de limón y las hierbas aromáticas y salpimiente al gusto.

Variantes

SALSA ANTIBES

Se trata de otra salsa provenzal creada por vez primera en el puerto de Antibes. Reemplace la albahaca y el perejil de la salsa *vierge* (*véase* izquierda) por hojas de cilantro fresco y añada al aceite y el ajo calientes ½ c/p de semillas de cilantro tostadas y ligeramente majadas al inicio de la receta.

SALSA CON NARANJA Y GRANOS DE PIMIENTA VERDE

Caliente 4 c/s de aceite de oliva en un cazo y añada 1 chalota picada y 1 diente de ajo majado. Cocínelos hasta que queden tiernos. Añada 100 ml de zumo de naranja fresco o concentrado y bata con unas varillas hasta que todo se haya mezclado bien. Agregue 1 c/p de granos de pimienta verde y salpimiente al gusto. Es deliciosa cuando se vierte sobre pescado frito, como raya o bacalao.

JOHANNES KRUG

EUROPA y el Mediterráneo

Las salsas de esta región incluyen una amplia variedad de estilos e ingredientes, pero comparten una idoneidad con respecto al clima y al país del que proceden. El ligero y fragante *avgolémono* griego, preparado con huevo y limón, es muy refrescante en un día caluroso; las potentes y reconfortantes cremas alemanas con rábano picante, servidas con pescado ahumado y carnes, son ideales en un clima frío; mientras que el *piri piri* portugués y la salsa romesco española están indicados para refrescar cuando las temperaturas son sofocantes. En Italia, hasta es posible seguir el rastro a las diferencias climáticas y agrícolas que tienen lugar de norte a sur mediante el estilo de sus salsas regionales: desde la potente salsa boloñesa o las salsas con nata en las regiones septentrionales, más frías y donde les encanta la leche, hasta llegar a las salsas del árido sur, basadas en el tomate y el aceite de oliva. El Reino Unido tiene, quizás, el perfil menos definido de los países europeos, aunque sus salsas tienen su propio carácter: salsas muy apreciadas como la salsa de pan para acompañar a las aves y la salsa de menta para acompañar al cordero se remontan a la edad media y forman parte vital del paisaje culinario de este país.

SALSAS SALADAS DE FRUTA

La mayoría de las tradicionales salsas saladas de fruta de las que se sigue disfrutando datan del siglo XV. Las investigaciones muestran que tendían a ser más dulces y especiadas. Las salsas actuales han evolucionado para ser más dulces con un toque salado.

SALSA DE PERA

⊕ *Se trata de una receta medieval que he usado durante años y que se sirve con pato asado.*

Para preparar 600 ml

450 g de peras maduras, pero firmes, peladas, sin corazón y cortadas en trozos
1 c/p de canela molida
1 tira de corteza de limón
25 g de azúcar blanquilla
75 ml de agua

1 Ponga las peras, la canela, la corteza de limón y el azúcar en un cazo. Lleve a ebullición, baje el fuego y cueza hasta que las peras estén tiernas.
2 Triture todo en una batidora. Sírvala tibia o fría.

SALSA DE MANZANA

Use manzanas ácidas para tener mejores resultados.

Para preparar 600 ml

400 g de manzanas ácidas peladas, sin corazón y cortadas en láminas gruesas
100 ml de agua
25 g de azúcar blanquilla
el zumo de 1 limón
25 g de mantequilla sin sal

1 Ponga las láminas de manzana en un cazo con azúcar y el zumo de limón y el agua y lleve a ebullición.
2 Cueza durante 10-12 minutos a fuego lento, o hasta que las manzanas queden tiernas.
3 Deje enfriar y pase la manzana por un colador chino o tritúrela en una batidora.
4 Vuelva a colocar al fuego, e incorpore, sin dejar de remover, la mantequilla y sirva la salsa caliente.

SALSA DE ARÁNDANOS ESPECIADA

⊕ *Es una lástima reservar esta salsa ácida de fruta sólo para el pavo navideño. También es deliciosa con pato, carne de caza, jamón al horno y carnes frías.*

Para preparar 600 ml

450 g de arándanos frescos o congelados
200 g de azúcar terciado
la ralladura fina de 1 naranja y el zumo de 2
½ c/p de mezcla de especias (canela, nuez moscada y pimienta de Jamaica y también macís, clavos de especia, jengibre, semillas de cilantro, carvi y pimienta de cayena) molidas

1 Ponga todos los ingredientes en una cacerola y lleve a ebullición a fuego lento hasta que el azúcar se haya disuelto. Baje el fuego y cueza 30 minutos a fuego lento hasta que los arándanos estén tiernos.

SALSA DE MEMBRILLO

Resulta exquisita con la carne de caza y, especialmente, con carne de cerdo asada.

Para preparar 600 ml

400 g de membrillos firmes pelados
100 ml de agua
225 g de azúcar blanquilla
1 c/p de ralladura fina de limón

1 Corte, con un cuchillo afilado, los membrillos en trozos; retire el corazón, e introdúzcalos en una cacerola junto con los otros ingredientes.
2 Cueza a fuego lento 1¼ horas, hasta que adquieran un color ámbar oscuro. Tritúrelos.

SALSA CON UVAS ESPINAS

Se trata de una exquisita salsa de frutas con un sabor ácido.

Para preparar 600 ml

400 g de uvas espinas (o kiwi, si no las encuentra)
100 ml de agua
100 g de azúcar
25 g de mantequilla sin sal

1 Ponga las uvas espinas en una cacerola con el agua y la mitad del azúcar y lleve a ebullición. Baje el fuego y cuézalas durante 10-15 minutos a fuego lento hasta que estén tiernas.
2 Tritúrelas en una batidora hasta obtener un puré y añada el azúcar restante.
3 Vuelva a verter la mezcla en la cacerola para calentarla. Incorpore la mantequilla, sin dejar de remover, y sirva la salsa caliente.

Variante

Añada algunas hojas de menta recién picadas a la salsa acabada.

SALSA CUMBERLAND

Los puristas podrían sorprenderse al ver una variante de esta clásica salsa de frutas con mermelada de arándanos (*véase* pág. 71), y no con jalea de grosellas rojas. La probé unas navidades servida con jamón de York bien loncheado sin jalea de grosellas rojas y vi que, al igual que mis invitados, prefería la versión con arándanos.
Ambas versiones resultan exquisitas con pavo, pato o ganso fríos.

Para preparar 300 ml

la ralladura y el zumo de 1 naranja pequeña
la ralladura y el zumo de 1 limón
250 g de jalea de grosellas rojas
1 c/p de mostaza de Dijon
75 ml de oporto
½ c/p de jengibre molido
1 chalota grande picada fina
sal y pimienta negra recién molida

1 Ponga la ralladura de naranja y de limón en un cazo con agua hirviendo. Cuézalas durante 2 minutos, escúrralas y resérvelas.
2 Ponga la jalea de grosellas rojas, la mostaza y el oporto en un cazo y mézclelos. Añada el jengibre y caliente a fuego lento hasta que la mermelada se derrita, pero no deje que alcance el punto de ebullición.
3 Añada el zumo de naranja y de limón, las ralladuras escurridas y la chalota. Salpimiente al gusto y sirva a temperatura ambiente.

Variante de la salsa Cumberland

SALSA CUMBERLAND CON ARÁNDANOS

Sustituya la jalea de grosellas rojas por 250 g de mermelada de arándanos.

SALSA DE PAN TRADICIONAL

La carne de caza y de ave de temporada asadas no serían iguales sin esta salsa de pan cremosa y delicadamente especiada. La adición de un poco de nata para montar y de mantequilla la hace más nutritiva y calórica.

Para preparar 600 ml

1 cebolla cortada por la mitad
4 clavos de especia
450 ml de leche entera
4 c/s de nata de montar
75 g de miga de pan blanco
25 g de mantequilla fría en trozos pequeños
sal y pimienta negra recién molida
nuez moscada recién rallada

1 Incruste los clavos de especia en las mitades de la cebolla e introdúzcalas en una cacerola con la leche
y 2 c/s de la nata. Lleve a ebullición a fuego lento, retire del fuego y deje que infusione durante 10 minutos.
2 Cuele la leche en una cacerola limpia y recaliéntela casi hasta el punto de ebullición; incorpore, sin dejar de batir con unas varillas, la miga de pan y cocínela 2 minutos, hasta que la salsa espese.
3 Añada la nata restante e incorpore, sin dejar de remover, los trozos de mantequilla fría.
4 Condimente con sal, pimienta y nuez moscada al gusto.

Consejo: la salsa de pan debe prepararse cuando se necesite. Consérvela caliente y sírvala de inmediato, ya que resulta menos buena si se recalienta.

SALSA DE MENTA

Se sirve, tradicionalmente, con cordero asado o a la parrilla. Su intenso sabor picante constituye el complemento perfecto para esta carne nutritiva, calórica y grasa.

Para preparar 150 ml

100 g de hojas de menta
2 c/s de azúcar lustre
2 c/s de vinagre de malta (o una cantidad al gusto)

1 Maje las hojas de menta y el azúcar en un mortero para obtener un puré grueso. Resérvelo 30 minutos para que el azúcar se impregne de los jugos de la menta.
2 Incorpore, sin dejar de remover, el vinagre al gusto.

Variante

SALSA DE MENTA CON VINAGRE BALSÁMICO

Reemplace el vinagre de malta por vinagre balsámico, que es más dulce.

SALSA ALEMANA DE RÁBANO PICANTE

La salsa de rábano picante mezclada con nata (para acompañar un plato de rosbif) resulta más suave, pero puede omitirse la nata para obtener la versión alemana, más fuerte. Use siempre rábano picante fresco y firme, ya que va perdiendo su sabor intenso a medida que transcurre el tiempo.

⊕ *Resulta deliciosa con pescado ahumado.*

Para preparar 200 ml

1 rábano picante de unos 350 g
el zumo de ½ limón
una buena pizca de azúcar
una pizca de sal
150 ml de nata semimontada (opcional)

1 Pele el rábano picante y rállelo fino en un cuenco. Tenga cuidado, ya que los vapores pueden ser muy fuertes.

2 Añada el zumo de limón, el azúcar y la sal al gusto.

3 Incorpore, sin dejar de remover, la nata semimontada (si la usa). Tápela con film transparente y refrigérela hasta que la necesite.

Variantes

CHRAIN

El *chrain* es una salsa relacionada con la cocina judía y que se suele servir con pescado ahumado. Añada 2 c/s de yogur natural y 2 remolachas crudas ralladas finas a la salsa básica.

Consejo: una buena forma de protegerse de la irritante fuerza del rábano picante (que hará que le salten las lágrimas) consiste en taparse la nariz con una mascarilla.

ANGUILA AHUMADA CON PATATA, ESPÁRRAGOS Y VINAGRETA DE RÁBANO PICANTE

Para 4 personas

12 puntas de espárrago limpias
8 huevos de codorniz
30 g de rúcula
30 g de endibia rizada
15 g de ramitas de perifollo
4 filetes de anguila ahumada sin la piel, de 300 g cada uno, cortados en trozos de 5 cm
1 pepinillo en encurtido dulce de eneldo cortado en rodajas
300 g de patatas cocidas, peladas y cortadas en láminas finas

Para la vinagreta de rábano picante

½ c/p de salsa de rábano picante (*véase* izquierda)
75 ml de aceite de oliva
1 c/s de perejil de hoja plana picado
1 c/p de vinagre de vino blanco

1 Prepare la vinagreta: ponga todos los ingredientes en un cuenco y bata con unas varillas hasta que se mezclen bien.

2 Cueza los espárragos durante 2 minutos en agua con sal hirviendo y déjelos reposar en agua helada para que se enfríen. Escúrralos y séquelos.

3 Cueza los huevos de codorniz 3 minutos, para que queden duros, y déjelos reposar en agua helada. Pélelos y córtelos por la mitad.

4 Mezcle la rúcula, la endibia y el perifollo en un cuenco y distribúyalos en 4 platos.

5 Disponga los filetes de anguila sobre las hojas de ensalada, junto con los huevos cortados por la mitad y el pepinillo cortado en rodajas.

6 Introduzca las patatas y las puntas de espárrago en un cuenco, vierta un poco de la vinagreta de rábano picante y remueva para que queden impregnadas. Repártalas sobre la ensalada, vierta por encima el aliño que quede y sirva.

TAPENADE

La *tapenade*, que es una de las salsas provenzales clásicas toma su nombre del término dialectal *tapeno*, que significa «alcaparra». Esto puede parecer extraño, ya que el ingrediente principal de esta receta es la maravillosa aceituna negra nizarda, tan común en la región. La *tapenade* se puede conservar durante 3-4 meses en el frigorífico, en un recipiente herméticamente cerrado.

Para preparar 300 ml

100 g de aceitunas negras deshuesadas
6 filetes de anchoa en aceite escurridos
50 g de alcaparras escurridas y enjuagadas
3 dientes de ajo majados
150 ml de aceite de oliva
pimienta negra recién molida

1 Introduzca las aceitunas, las anchoas, las alcaparras y el ajo en una batidora y acciónela 3-4 veces, hasta que queden picados gruesos.
2 Añada el aceite en un hilillo con el aparato en marcha.
3 Pase la salsa a un cuenco y añada pimienta negra.

Variante

TAPENADE DE TOMATE

Reemplace las aceitunas por tomates asados y 1 c/p de hojas de tomillo y otra de romero picado. Proceda como en la receta principal.

Consejo: use cualquiera de los dos versiones a modo de salsa fuerte para dar vida a los bocadillos, el queso de cabra y la carne o el pescado a la parrilla.

TOSTADAS A LA PROVENZAL CON LUBINA Y *TAPENADE*

Para 4 personas

4 rebanadas de pan rústico de buena calidad de unos 2,5 cm de grosor, u 8 rebanadas de baguette de alrededor de 1,5 cm de grosor cortadas al bies
4 c/s de aceite de oliva virgen extra
4 filetes de lubina pequeños y limpios, de aproximadamente 120 g cada uno
sal y pimienta negra recién molida
2 dientes de ajo pelados
2 c/s de hierbas de Provenza (albahaca, perifollo, romero y perejil) recién picadas
100 ml de *tapenade* (*véase* izquierda)

1 Caliente una parrilla a fuego fuerte. Pincele ambos lados del pan con aceite de oliva.
2 Tueste el pan a la parrilla hasta que quede ligeramente chamuscado (alrededor de 1 minuto por cada lado). Resérvelo y consérvelo caliente. Mientras, salpimiente bien la lubina.
3 Disponga la lubina en la parrilla y cocínela 2-3 minutos por cada lado.
4 Frote el ajo sobre las tostadas, vierta un poco más de aceite y esparza las finas hierbas por encima.
5 Disponga un filete de lubina sobre cada tostada (corte cada filete por la mitad si usa rebanadas de baguette). Corone con una buena cucharada de *tapenade* por encima y sirva de inmediato.

PESTO

Al ser bastante tradicional, preparo mi propio pesto con un mortero y una mano de mortero para majar los ingredientes antes de añadir el aceite, pero lo preparará rápidamente con una batidora y el resultado será igualmente bueno. Se conservará 2-3 días en el frigorífico antes de perder su color y su frescor.

Para preparar 150 ml

75 g de hojas de albahaca
2 dientes de ajo picados
1 c/s de piñones picados gruesos
2 c/s de parmesano rallado fino
100 ml de aceite de oliva virgen extra
sal y pimienta negra recién molida

1 Introduzca la albahaca, el ajo, los piñones y el parmesano en una batidora. Con el aparato en funcionamiento, vierta el aceite en un hilillo y triture hasta que quede una preparación homogénea.
2 Añada sal y pimienta al gusto, pase la salsa a un cuenco (o a un tarro con tapa), tápela y refrigérela hasta que la necesite.

Consejo: puede reemplazar la albahaca por otras hojas de hierbas aromáticas que le gusten (por ejemplo, perejil de hoja plana, cilantro o menta), o puede probar con una de las variantes que se mencionan a continuación.

Variantes del pesto

PESTO DE SEMILLAS DE CALABAZA Y QUESO DE CABRA

Reemplace los piñones por 250 g de semillas de calabaza, tostadas, durante 10 minutos en un horno a potencia media (190 °C) hasta que queden ligeramente doradas y desprendan un agradable aroma. Déjelas enfriar. Sustituya la albahaca por 50 g de menta y use 50 g de queso tierno de cabra en lugar de parmesano. Proceda como en la receta básica.

PESTO CON ESPÁRRAGOS

Pula y retire los extremos duros de 8 puntas de espárrago y cuézalas 2 minutos en agua hirviendo con sal. Enfríelas en agua helada para evitar que se sigan cociendo y séquelas bien con un paño. Corte los espárragos en trocitos y añádalos a la batidora con el resto de los ingredientes de la receta principal. Sirva la salsa con pasta o con pescado a la parrilla.

PESTO CON RÚCULA

Si desea un pesto más picante, sustituya la albahaca por hojas de rúcula.

PESTO CON BRÉCOL

Este pesto se sirve caliente y mezclado con pasta. Cueza 150 g de cabezuelas de brécol en agua hirviendo hasta que queden muy tiernas. Escúrralas bien y tritúrelas en una batidora hasta obtener un puré con tropezones. Añada todos los ingredientes de la receta principal y vuelva a accionar la máquina durante 10 minutos.

PESTO DE AVELLANA

Reemplace los piñones por 3 c/s de avellanas picadas. Omita el parmesano y añada ½ c/p de copos de chile picante.

TROFIE A LA TRAPENESE

Se trata de un plato siciliano de pasta que combina los tomates con la salsa pesto y usa almendras (un producto local) en lugar de piñones.

Para 4 personas

50 g de almendras enteras
2 dientes de ajo majados
1 guindilla roja pequeña con las semillas picada fina
sal y pimienta negra recién molida
20 g de hojas de menta fresca (preferiblemente hierbabuena)
50 g de hojas de albahaca
30 g de queso pecorino (o de parmesano Reggiano)
100 ml de aceite de oliva virgen extra
3 tomates maduros, pero firmes, pelados y cortados en daditos
450 g de *trofie* (o de *bucatini* o *fusilli*)

1 Introduzca las almendras, el ajo, la guindilla y un poco de sal y pimienta en la batidora. Tritúrelo hasta que todo quede picado bastante grueso.
2 Añada la menta, la albahaca, el queso y el aceite y vuelva a triturar hasta que las hierbas aromáticas estén picadas y la preparación esté perfectamente mezclada. La textura debería ser tosca, y no como un puré.
3 Pase la salsa a un cuenco, incorpore los tomates y rectifique el punto de sazón.
4 Cueza la pasta en una cacerola con agua hirviendo con sal hasta que quede al dente.
5 Escurra la pasta, mézclela con la salsa y sírvala de inmediato.

FONDUTA

Frecuentemente se la confunde con la clásica *fondue* suiza. La *fonduta* es una salsa similar de la región italiana del Piamonte. El queso indicado es el fontina, aunque puede prepararse con otros quesos, como el gruyère, el emmental, e incluso con edam holandés: cualquier queso sustancioso y cremoso.

⊕ *Para darse un verdadero capricho, esparza por encima un poco de trufa blanca recién laminada. Es uno de los mejores platos que he degustado en Italia: lo tomé en Sicilia, donde nos sirvieron una fonduta sobre unos sencillos huevos escalfados con trufa blanca laminada por encima: es de lo más recomendable.*

Para preparar 600 ml

350 g de queso fontina cortado en daditos
1 c/p de harina de maíz
600 ml de leche entera
sal y pimienta negra recién molida
4 huevos de gallinas camperas
75 g de mantequilla sin sal cortada en daditos

1 Ponga el queso, la harina de maíz y la leche en un cazo con un poco de sal y pimienta. Mantenga el fuego lento y remueva constantemente, hasta que el queso se haya derretido y quede un poco filamentoso.
2 Incorpore los huevos y la mantequilla mientras bate vigorosamente, y siga cocinando a fuego lento hasta que la mezcla quede líquida, cremosa y homogénea.
3 Vierta la mezcla en cuencos o ramequines y sírvala de inmediato con trozos de pan crujiente.

Variante

Añada 2 c/s de grappa a la *fonduta* acabada. Es deliciosa con pollo.

SALSA VERDE ITALIANA

La salsa verde es una salsa rústica que se sirve fría, y varía entre las distintas regiones italianas. Algunas versiones incluyen pan empapado en vinagre y otras, huevo picado: las variantes son infinitas.

⊕ *Se usa como condimento para los platos de carne, pescado, pollo y hortalizas. Para mí es la mejor salsa de la cocina italiana.*

Para preparar 300 ml

1 diente de ajo pelado
30 g de hojas de perejil de hoja plana picadas gruesas
10 g de hojas de menta picadas gruesas
4 filetes de anchoa en aceite escurridos
1 c/p de mostaza de Dijon
20 g de pepinillos en encurtido dulce de eneldo
50 g de alcaparras superfinas en salmuera escurridas y enjuagadas
2 c/s de vinagre de vino blanco
120 ml de aceite de oliva virgen extra
sal y pimienta negra recién molida

1 Maje el ajo en un mortero, añada las hierbas aromáticas y los filetes de anchoa. Continúe majando hasta obtener una pasta.
2 Añada la mostaza, los pepinillos y las alcaparras y májelos hasta que la mezcla parezca un puré.
3 Agregue el vinagre y vierta el aceite de oliva en un hilillo para obtener una salsa semifluida. Salpimiente al gusto y sirva. La salsa verde se conservará 2-3 días en el frigorífico en un recipiente herméticamente cerrado.

PANCETA DE CERDO ASADA CON COL CRESPA Y SALSA VERDE

⊕ *Resulta deliciosa con puré de patatas aderezado con aceite de oliva, en lugar de con mantequilla.*

Para 4 personas

1 pieza de 1 kg de panceta de cerdo deshuesada
sal y pimienta negra recién molida
2 c/p de semillas de hinojo
4 c/s de aceite de oliva
400 ml de vino blanco seco
600 ml de fondo de ternera o de ave (*véanse* págs. 8 y 9)
1 col crespa o col rizada grande de unos 600 g
1 cebolla picada fina
1 diente de ajo picado
100 ml de agua
150 ml de salsa verde (*véase* izquierda), para servir

1 Precaliente el horno a 220 °C. Corte la panceta en 4 trozos iguales, frote cada uno de ellos con sal, pimienta y semillas de hinojo. Colóquelos en una rustidera plana, vierta por encima la mitad del aceite e introdúzcalos en el horno caliente durante 20-25 minutos, para que la piel empiece a quedar crujiente.
2 Retire la panceta del horno y baje la temperatura a 180 °C. Vierta el vino y el fondo alrededor de la panceta. Vuelva a introducirla en el horno y ásela 1-1¼ horas más, o hasta que quede muy tierna.
3 Mientras, arranque las hojas de la col y córtelas bastamente. Caliente el aceite restante en una cacerola, añada la cebolla y el ajo y cocínelos 3-4 minutos. Añada luego la col y el agua. Tape la cacerola, baje el fuego y cueza 30-40 minutos.
4 Cuando la panceta esté lista, retírela del horno y cuele los jugos en un cazo. Llévelos a ebullición para reducirlos hasta que quede 1 c/s, o hasta que recubran la parte posterior de una cuchara.
5 Para servir, disponga los trozos de panceta en platos y vierta por encima los jugos reducidos. Añada la col, vierta la salsa verde y sirva.

SALSA CARBONARA

La carbonara no contiene, tradicionalmente, nata. Muchos cocineros consideran, no obstante, que la adición de un poco de nata ayuda a estabilizar la salsa. Aunque se suele creer que el mejor queso para esta salsa es el parmesano, cualquier italiano le dirá que el queso indicado es el pecorino.

Para 4 personas

2 c/s de aceite de oliva
125 g de carne de cerdo salada o de tocino ahumado cortado en daditos
1 diente de ajo majado
3 huevos de gallinas camperas ligeramente batidos
2 c/s de nata para montar (opcional)
450 g de pasta seca
50 g de queso pecorino (o de parmesano) rallado fino
sal y pimienta negra recién molida

1 Caliente el aceite en una cacerola, añada el tocino o la carne de cerdo y cocine hasta que se dore bien. Añada el ajo y cocínelo 1 minuto.
2 Mezcle, en un cuenco, los huevos con la nata (si la emplea).
3 Mientras, cueza la pasta hasta que esté al dente. Escúrrala bien e incorpórela a la cacerola con el tocino y el ajo. Vierta los huevos (o los huevos y la nata) por encima, añada rápidamente el pecorino y remueva para mezclarlo todo. Salpimiente al gusto y sirva de inmediato.

Variante

CARBONARA CON SETAS

Reemplace el tocino por 150 g de setas silvestres frescas (o 15 g de setas secas rehidratadas). Proceda como en la receta principal.

Consejo: la salsa carbonara también resulta excelente con unos huevos revueltos servidos sobre una tostada gruesa y crujiente.

SALSA BOLOÑESA

Aunque no he incluido muchas salsas cocinadas con carne o pescado como parte de la salsa, creo que debo mencionar ésta debido a su popularidad. En Italia, la salsa boloñesa se llama *ragú*. La tradición afirma que cuanto más cueza la salsa mejor será su sabor.

Para 4-6 personas, con pasta

50 g de mantequilla sin sal
75 g de panceta o tocino ahumado cortado en daditos
1 cebolla picada fina
1 zanahoria pelada y picada fina
1 ramita de apio pelada y picada fina
2 c/p de orégano picado
2 c/p de hojas de tomillo
350 g de carne de ternera magra picada de buena calidad
100 g de hígados de pollo limpios y picados
2 c/s de concentrado de tomate
100 ml de vino blanco seco
300 ml de fondo de buey (*véase* pág. 9)
sal y pimienta negra recién molida
nuez moscada recién rallada

1 Derrita la mantequilla en una cacerola de base gruesa. Añada la panceta y fríala durante 4-5 minutos o hasta que esté dorada.
2 Añada la cebolla, la zanahoria, el apio y las finas hierbas y cocine 2 minutos más.
3 Incorpore la carne de ternera picada, suba el fuego y dore bien la carne.
4 Agregue los hígados picados y cocine 2 minutos. Incorpore el concentrado de tomate y cocine otros 5 minutos más.
5 Añada el vino y el fondo, y condimente ligeramente con sal, pimienta y nuez moscada.
6 Lleve a ebullición, baje el fuego y cocínelo todo, tapado, por lo menos durante 30 minutos.

SALSA BOLOÑESA
Se sirve, tradicionalmente, con tallarines o espagueti, y también resulta deliciosa con ñoquis frescos.

SALSA DE ALMENDRAS Y ALCAPARRAS

Probé esta salsa por primera vez mientras estaba de vacaciones en la hermosa isla de Cerdeña, en un restaurante pequeño en la cala di Volpe. Constituía un aliño de una ensalada de berenjena y era exquisita. Aquí va mi versión de la receta.

En esencia, su textura es similar a la del pesto, pero con un toque extra ácido procedente de las alcaparras: un equilibrio de sabores que funciona.

Para preparar 250 ml

75 g de almendras blanqueadas, ligeramente tostadas
25 g de alcaparras superfinas enjuagadas
una pizca de copos de chile seco
100 ml de aceite de oliva virgen extra
1 diente de ajo majado
25 g de hojas de menta fresca
el zumo de 1 limón pequeño
sal

1 Introduzca las almendras, las alcaparras y los copos de chile en una batidora y tritúrelos hasta obtener un puré de textura gruesa.
2 Caliente, en una cacerola, el aceite junto con el ajo y añada la menta. Cocine 30 segundos a fuego muy lento para que los sabores se concentren.
3 Retire del fuego y deje enfriar. Vierta esta mezcla en un hilillo, con la batidora en marcha, sobre la preparación de almendra y aceite de oliva.
4 Añada zumo de limón y sal al gusto, pase la salsa a un cuenco y déjela enfriar por completo antes de servirla.

ENSALADA DE BERENJENAS ASADAS Y TOMATE CON SALSA DE ALMENDRAS Y ALCAPARRAS

Para 4 personas

2 berenjenas grandes cortadas en dados de 2,5 cm
2 c/s de aceite de oliva
1 diente de ajo laminado
2 tomates maduros y firmes picados
1 cebolla pequeña picada
2 c/s de vinagre de vino tinto
sal y pimienta negra recién molida
2 c/s de hojas pequeñas de menta, para adornar
3 c/s de salsa de almendras y alcaparras (*véase* izquierda)

1 Precaliente el horno a 180 °C. Disponga los dados de berenjena en una rustidera, vierta el aceite por encima y remueva.
2 Añada el ajo, vuelva a remover e introduzca en el horno, durante 20-25 minutos, hasta que la berenjena quede tierna. Dé la vuelta a la berenjena de vez en cuando mientras se asa.
3 Pásela a un cuenco y déjela enfriar. Añada los tomates, la cebolla y el vinagre y salpimiente al gusto.
4 Esparza las hojas de menta por encima y sirva con la salsa de almendras y alcaparras.

Consejo:
en algunas regiones de Italia asan el ajo para preparar esta receta, lo que proporciona a la salsa un sabor más dulce y caramelizado.

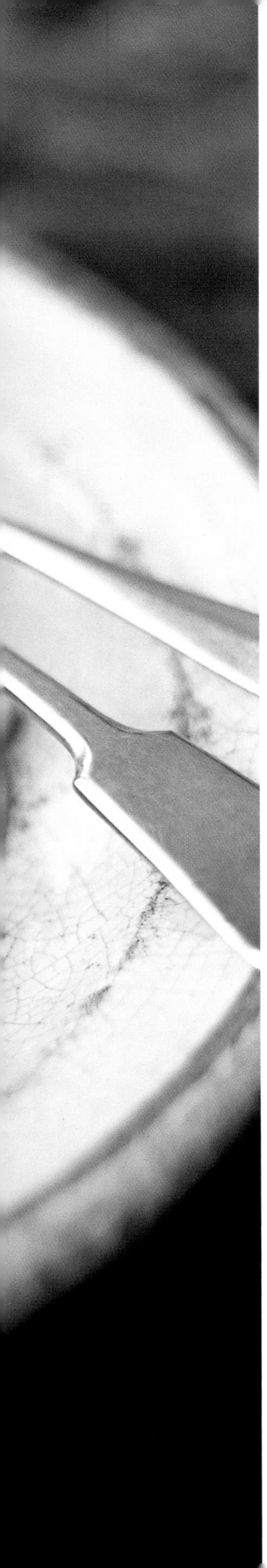

AGLIATA

Se trata de una salsa italiana que se prepara con avellanas majadas. Resulta especialmente deliciosa con pasta y pescado.

Para preparar 200 ml

60 ml de fondo de ave (*véase* pág. 9)
2 rebanadas de pan blanco seco sin la corteza
1 c/s de vinagre balsámico o de vino tinto
75 g de avellanas cortadas por la mitad ligeramente tostadas
50 g de hojas de perejil de hoja plana
2 dientes de ajo majados
sal y pimienta negra recién molida
90 ml de aceite de oliva virgen extra

1 Ponga el pan en remojo durante 2-3 minutos en el fondo de ave, y escurra el exceso de humedad presionando con las manos.
2 Introduzca el pan en una batidora, junto con el vinagre, las avellanas, el ajo y un poco de sal y pimienta.
3 Con el aparato en marcha, vierta el aceite de oliva en un hilillo hasta obtener una salsa espesa parecida a una pasta.
4 Rectifique el punto de sazón y sirva. La *agliata* se conservará 1 día en el frigorífico.

TALLARINES CON SALMONETES Y *AGLIATA* (para 4 personas)

Salpimiente 450 g de filetes pequeños y limpios de salmonete y fríalos 1 minuto por cada lado en una mezcla de aceite de oliva y mantequilla. Vierta por encima un poco de zumo de limón. Mientras, cueza 450 g de tallarines en agua hirviendo con sal, escúrralos y mézclelos con 200 ml de salsa *agliata*. Sirva con los filetes de salmonete fritos.

SALMORIGLIO

Adoro de esta salsa siciliana elaborada con ajo, limón y finas hierbas, la forma en que tan pocos ingredientes pueden conseguir que un plato de pescado sea tan bueno. He adaptado esta receta a partir de una que probé en la hermosa isla de Sicilia. ⊕ *Viértala sobre pescado y pollo a la parrilla o úsela como marinada para pescados o mariscos.*

Para preparar 150 ml

90 ml de aceite de oliva virgen extra
1 diente de ajo majado
2 c/s de agua tibia
2 c/s de orégano picado
1 c/s de perejil de hoja plana picado
el zumo de ½ limón
sal y pimienta negra recién molida

1 Mezcle, sin dejar de batir con unas varillas, el aceite de oliva y el ajo en un cuenco. Luego añada el agua y bata para obtener una emulsión ligera.
2 Añada las hierbas aromáticas y el zumo de limón y salpimiente al gusto.

RAPE A LA PARRILLA CON GARBANZOS, ACELGAS Y *SALMORIGLIO*

Para 4 personas

2 c/s de aceite de oliva
½ diente de ajo picado
2 chalotas picadas finas
una pizca de copos de chile seco
200 g de tomates en conserva
1 c/s de concentrado de tomate
una pizca de azúcar
1 hojita de laurel
sal y pimienta negra recién molida
400 g de garbanzos recién cocidos (o en conserva)
150 g de acelgas cortadas
700 g de filete limpio de rape cortado en 4 trozos gruesos
150 ml de *salmoriglio* (*véase* izquierda)

1 Caliente 1 c/s del aceite en una cazuela o una cacerola a fuego medio. Añada el ajo, las chalotas y los copos de chile y cocínelos durante 4-5 minutos, sin dorarlos.
2 Añada los tomates, el concentrado de tomate, el azúcar y la hoja de laurel. Salpimiente, lleve a ebullición y cueza 10 minutos a fuego lento.
3 Agregue los garbanzos y las acelgas; mezcle bien y cocínelo todo 5 minutos más a fuego lento.
4 Mientras, ponga al fuego una barbacoa o una parrilla hasta que esté muy caliente. Salpimiente generosamente los filetes de rape y vierta por encima el aceite restante.
5 Coloque el rape sobre la barbacoa o la parrilla y cocínelo 4 minutos por cada lado, hasta que quede dorado y ligeramente chamuscado.
6 Disponga los garbanzos en una fuente, coloque el rape encima, vierta el *salmoriglio* y sirva.

SALSA DE TOMATE SICILIANA

Esta rústica salsa de tomate constituye la base de muchos platos de la cocina italiana, desde la pizza hasta la pasta. Lo ideal será usar tomates pera, ya que tienen un sabor maravilloso y dulce.

Para preparar 1 l

1 kg de tomates maduros y sabrosos o 2 latas de 400 g de tomates pera en conserva
50 ml de aceite de oliva
1 cebolla grande picada fina
2 dientes de ajo majados
1 c/s de concentrado de tomate
150 ml de zumo de tomate
una pizca de azúcar
½ c/p de orégano seco
¼ c/p de hojas de tomillo
sal y pimienta negra recién molida

1 Si usa tomates frescos, blanquéelos 20 segundos en agua hirviendo, retírelos con una espumadera e introdúzcalos en agua helada. Pélelos y córtelos por la mitad, retire las semillas y píquelos finos.
2 Caliente el aceite en una cacerola de base gruesa y añada la cebolla y el ajo. Cocínelos unos 10 minutos, hasta que estén tiernos.
3 Añada los tomates picados y el concentrado de tomate y cocínelos 5 minutos.
4 Añada el zumo de tomate, el azúcar y las finas hierbas y cocínelo todo a fuego lento, sin tapar, 1 hora, hasta que reduzca y tenga una consistencia como la de un puré. Salpimiente al gusto.

Variantes

SALSA *ARRABIATA*

Añada 2 c/p de guindilla roja picada a la cebolla y el ajo al principio de la receta anterior.

SALSA *AMATRICIANA*

Cocine 100 g de panceta o tocino picado en el aceite hasta que se dore, y añada la cebolla y luego el ajo.

PIRI PIRI

La pregunta es: ¿es el *piri piri* una salsa o un condimento? En Brasil parece ser que anima cada plato, por lo que esta salsa también ocupa un merecido lugar en el capítulo de este libro dedicado al Nuevo Mundo. En Portugal acompaña a numerosos platos de pollo y pescado, y es igual de ubicua y popular.

La salsa *piri piri*, llamada así por las guindillas del mismo nombre, se consume y disfruta en muchos países mediterráneos, servida directamente de una botella, cosa perfectamente aceptable, pero que, de ninguna manera, llega a la altura de la versión fresca y sin conservantes que le ofrecemos aquí. Se conservará un mes en el frigorífico.

Para preparar 350 ml

8 guindillas *piri piri* rojos o jalapeños grandes
100 ml de aceite de oliva
200 ml de passata de tomate
1 c/p de orégano
el zumo de 1 limón
una pizca de chile en polvo
sal y pimienta negra recién molida

1 Introduzca las guindillas y el aceite en una batidora y tritúrelos hasta obtener una pasta homogénea.
2 Pase la pasta a una cacerola y añada la *passata*, el orégano y el zumo de limón. Lleve a ebullición y cueza durante 10-15 minutos a fuego lento.
3 Añada el chile en polvo y sal y pimienta al gusto.

ROMESCO

Se trata de una de las grandes salsas españolas. Su origen se remonta a Tarragona, en Cataluña, hace siglos. Prepárela con almendras o avellanas y nunca dejará de impresionar a sus invitados. ⊕ *Creo que la he servido con casi todos los tipos de pescado a la parrilla, hortalizas, carne e incluso huevos fritos; es realmente versátil.*

Para preparar 350 ml

150 ml de aceite de oliva virgen extra
1 rebanada de pan blanco cortada en dados
3 dientes de ajo majados
75 g de almendras o avellanas ligeramente tostadas
1 c/p de copos de chile seco (o 1 guindilla roja seca)
1 c/p de pimentón ahumado
350 g de pimientos rojos asados
3 c/s de vinagre de vino blanco
250 g de tomates blanqueados, pelados, sin las semillas y picados (*véase* salsa de tomate siciliana, pág. 87, paso 1)
sal y pimienta negra recién molida

1 Caliente 25 ml del aceite en una sartén grande, añada los dados de pan y dórelos. Añada el ajo, las almendras o las avellanas, los copos de chile y el pimentón y cocínelos 30 segundos más.
2 Tritúrelo todo en una batidora y añada los pimientos asados y el vinagre. Triture hasta obtener un puré. Vierta el aceite restante en un hilillo con el aparato en marcha.
3 Añada los tomates, vuelva a triturar y salpimiente al gusto.

Variante

VINAGRETA PICANTE DE TIPO ROMESCO

Añada 2 c/s de la salsa romesco a 150 ml de vinagreta básica (*véase* pág. 62). Es excelente con atún o emperador a la parrilla.

EMPERADOR ASADO CON HINOJO, PIÑONES Y PASAS

Para 4 personas

75 ml de aceite de oliva
1 cebolla laminada fina
1 bulbo de hinojo pelado y laminado fino, con las hojas reservadas y picadas
una pizca de azúcar
50 g de piñones ligeramente tostados
50 g de pasas dejadas 20 minutos en remojo en agua y escurridas
4 filetes de emperador de 200 g cada uno
sal y pimienta negra recién molida
2 c/s de hojas de menta picada
100 ml de salsa romesco (*véase* izquierda)

1 Caliente 50 ml del aceite en una cacerola, añada la cebolla, el hinojo y el azúcar y cocine a fuego lento hasta que estén ligeramente caramelizados y dorados.
2 Agregue los piñones y las pasas escurridas y cocine 5 minutos más.
3 Mientras, caliente el aceite restante en una sartén y salpimiente el pescado. Cuando el aceite esté caliente, añada el pescado y fríalo 1-2 minutos por cada lado hasta que esté dorado. Emplate el emperador y la mezcla de hinojo.
4 Añada la menta y las hojas de hinojo picado a la salsa romesco y sirva junto con el emperador.

AVGOLEMONO

Se trata de una de las salsas más populares de Grecia. Es ideal con carne y hortalizas, como alcachofas, puerros o espárragos. ⊕ *Me gusta con filetes de bacalao en papillote con alubias blancas, tomate y perejil.*

Para preparar 400 ml

3 yemas de huevos grandes de gallinas camperas
el zumo de 2 limones
2 c/p de harina de maíz
1 c/s de agua
300 ml de fondo de ave sabroso (*véase* pág. 8)
2 c/s de nata
sal y pimienta negra recién molida

1 Bata las yemas de huevo y el zumo de limón en una cacerola de base gruesa sin ponerla en el fuego.
2 Vierta la harina de maíz y el agua en un tarro y agítelo hasta que se disuelva. Incorpórela a las yemas de huevo, en la cacerola.
3 Añada gradualmente el fondo caliente mientras bate con unas varillas, hasta que quede liso, y luego añada la nata.
4 Ponga la cacerola a fuego lento y cocine, batiendo constantemente hasta que la mezcla espese lo suficiente como para cubrir la parte posterior de una cuchara. Asegúrese de que no hierva, o la salsa cuajará.
5 Salpimiente al gusto y sirva de inmediato.

Consejo: *avgolemono* es también el nombre de una sopa griega que se prepara con fondo de ave y arroz y se corona con huevo y limón.

FILETES DE BACALAO AL HORNO CON ALUBIAS BLANCAS Y *AVGOLEMONO*

Puede reemplazar el bacalao por mero, si lo desea.

Para 4 personas

1 cebolla pequeña picada
2 lonchas de tocino picadas
1 c/s de aceite de oliva
1 diente de ajo majado
¼ c/p de copos de chile seco
100 g de alubias blancas secas
800 ml de fondo sabroso de ave (*véase* pág. 8)
3 tomates pera picados gruesos
1 c/s de perejil de hoja plana picado
sal y pimienta negra recién molida
4 filetes de bacalao de 225 g cada uno
2 chalotas laminadas finas
el zumo de ½ limón
150 ml de fumet (*véase* pág. 9)
150 ml de *avgolemono* (*véase* izquierda), para servir

1 Precaliente el horno a 160 °C. Rehogue durante 3-4 minutos, en una cazuela refractaria, la cebolla y el tocino en el aceite a fuego lento. Añada el ajo, los copos de chile y las alubias blancas y cueza 1 minuto.
2 Vierta el fondo de ave, lleve a ebullición, tape y cocine 2 horas, hasta que las judías queden muy tiernas; vaya añadiendo un poco de fondo o agua en caso necesario.
3 Incorpore los tomates y el perejil, salpimiente al gusto y retire del fuego.
4 Suba la temperatura del horno a 220 °C. Disponga los filetes de pescado en una rustidera y esparza las chalotas por encima. Añada el zumo de limón y el fumet y salpimiente. Cúbralo con papel de aluminio y hornéelo durante 10-12 minutos, o hasta que el pescado esté cocinado.
5 Reparta las alubias en 4 platos, coloque encima un filete de bacalao, vierta la salsa *avgolemono* caliente y sirva de inmediato.

SKORDALIA

La *skordalia* (o *skorthalia*, como se la conoce en Grecia) es una deliciosa salsa con sólo 4 ingredientes: patatas, aceite de oliva, ajo y zumo de limón; realmente sencillo. Es más sabrosa si las patatas todavía están calientes, así que no las deje enfriar. En algunas regiones de Grecia, se añaden avellanas a las patatas antes de mezclar todo.

⊕ *Es una gran salsa para casi cualquier pescado, especialmente el frito. Es también un excelente mojo para hortalizas o pan pitta en fiestas.*

Para preparar 750 ml

300 g de patatas harinosas peladas y cortadas en trozos
4 dientes de ajo majados
175-200 ml de aceite de oliva virgen extra
el zumo de ½ limón grande
sal y pimienta negra recién molida

1 Introduzca las patatas en una cacerola con agua fría, lleve a ebullición y cueza durante 20-25 minutos a fuego lento, hasta que queden tiernas. Escúrralas y páselas a una batidora o a un robot de cocina.
2 Añada el ajo y triture brevemente. Con el motor en marcha a la menor velocidad posible, vierta suficiente aceite en un hilillo para formar una emulsión.
3 Añada el zumo de limón y agua tibia para obtener una consistencia similar a la de la mayonesa.
4 Salpimiente al gusto y sirva.

Variante

Añada 75 g de queso feta a las patatas calientes en la batidora y proceda como en la receta principal.

Consejo: no triture las patatas en la batidora o el robot de cocina durante demasiado tiempo, o quedarán almidonosas y gomosas.

REMOLACHAS ASADAS CON RÚCULA, HUEVOS MOLLARES Y *SKORDALIA*

Para 4 personas

24 remolachas enanas crudas, cepilladas y limpias o 2-3 remolachas grandes cortadas en rodajas
2 c/s de aceite de oliva
sal y pimienta negra recién molida
4 huevos de gallinas camperas
350 ml de *skordalia* (*véase* izquierda)
100 g de hojas de rúcula enana
25 g de hojas de cilantro (opcional)
2 c/s de vinagreta clásica (*véase* pág. 62)

1 Precaliente el horno a 200 °C. Pula las remolachas, dejando unos 2,5 cm de la parte superior. Limpie la parte inferior para eliminar las raíces.
2 Mezcle las remolachas con el aceite de oliva para que queden bien impregnadas y añada un poco de sal. Dispóngalas en una rustidera, cúbralas con papel de aluminio y hornéelas 45 minutos o hasta que estén tiernas al pincharlas con un cuchillo.
3 Retírelas del horno, déjelas enfriar hasta que pueda manipularlas y pélelas. Salpimiéntelas y consérvelas calientes.
4 Cueza los huevos 5 minutos en agua, de forma que las yemas todavía estén tiernas. Retire los huevos del agua, enfríelos y pélelos.
5 Para servir, disponga un poco de *skordalia* en la base de 4 platos, con las remolachas encima. Esparza la rúcula (y el cilantro, si lo usa) y rocíe con la vinagreta. Corte los huevos por la mitad, colóquelos en los platos y sirva de inmediato.

TARATOR

Esta salsa es uno de los mayores tesoros de Turquía. Se suele elaborar con avellanas, aunque los cocineros tienden a prepararla con frutos secos locales. Prefiero usar almendras, aunque todos los frutos secos quedan bien. ⊕ *Es deliciosa con alimentos a la parrilla y fritos.*

Para preparar 300 ml

3 rebanadas gruesas de pan blanco sin la corteza
100 ml de leche entera
150 g de almendras (o cualquier otro fruto seco de buena calidad)
3 dientes de ajo majados
120 ml de aceite de oliva
sal y pimienta negra recién molida
el zumo de 1 limón

1 Introduzca el pan en un cuenco, cúbralo con la leche y déjelo en remojo durante 30 minutos.
2 Páselo a una batidora, añada las almendras y triture hasta obtener una pasta.
3 Vierta el aceite en un hilillo con el aparato en funcionamiento para obtener una emulsión. Salpimiente y añada zumo de limón al gusto.

SALSA DE *TAHINI*

⊕ *Esta maravillosa salsa de Oriente Medio es deliciosa no sólo como mojo para servir con falafel, sino también como estupenda guarnición para mi ensalada de judías verdes, menta y garbanzos (véase inferior).*

Para preparar 300 ml

150 g de *tahini* (pasta de semillas de sésamo)
3 dientes de ajo majados
el zumo de 1 limón
1 c/p de comino molido
una pizca de pimienta de cayena, de cilantro molido y de cardamomo molido
75-120 ml de agua caliente
sal

1 Introduzca el tahini y el ajo en una batidora y añada el zumo de limón y las especias.
2 Añada el agua caliente en un hilillo con el aparato en marcha hasta que la salsa tenga una consistencia para verter. Salpimiéntela y pásela a un cuenco.

Variantes

Corone la salsa con 50 ml de yogur natural espeso y 2 c/s de menta picada: resulta excelente con rodajas de berenjena a la parrilla.

Añada un toque picante a la salsa con un poco de guindilla roja picada o con salsa Tabasco.

ENSALADA DE JUDÍAS VERDES, MENTA Y GARBANZOS (para 4 personas)

Ponga 300 g de judías verdes cocidas y 400 g de garbanzos cocidos o en conserva en un cuenco, junto con un puñado de hojas de menta. Añada sal, pimienta y zumo de limón al gusto. Incorpore 4 c/s de salsa *tahini* y mezcle bien. Esparza más hojas de menta por encima y sirva a temperatura ambiente.

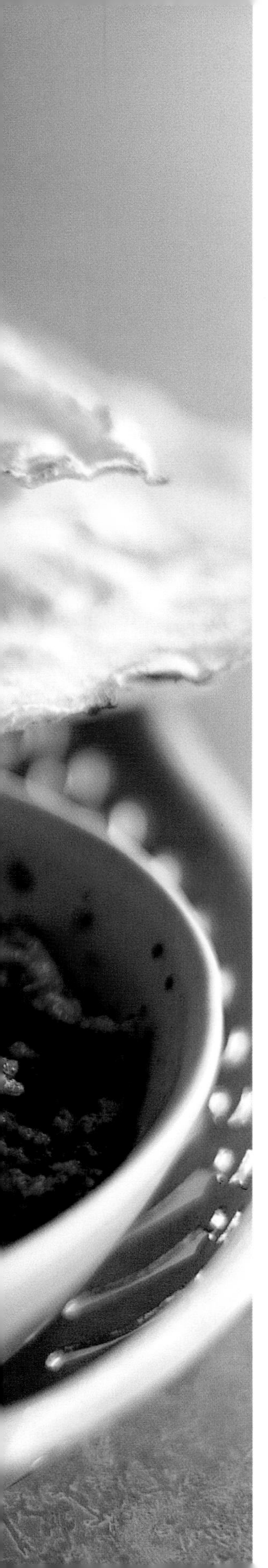

ZHOUG

Se trata de una salsa yemení de chiles muy picante y aromática. ⊕ *Resulta ideal con carne, pescado y aves. También me gusta añadirla a los fondos de hortalizas. A veces se prepara con guindillas rojas, aunque en este caso prefiero el sabor de los chiles verdes.*

Para preparar 300 ml

10 chiles jalapeños verdes, sin las semillas
4 dientes de ajo majados
un buen manojo de perejil de hoja plana
un buen manojo de hojas de cilantro
1 c/p de comino molido
½ c/p de cilantro molido
una pizca de pimienta de cayena
100 ml de aceite de oliva
sal y pimienta negra recién molida

1 Triture los chiles y el ajo en la batidora hasta que la mezcla adquiera una textura homogénea.
2 Añada las finas hierbas, las especias y agua suficiente para que al triturar obtenga una pasta homogénea.
3 Añada el aceite de oliva, salpimiente al gusto y triture un minuto más.
4 Pase la salsa a un cuenco, tápela y refrigérela hasta que la necesite. Se conservará 3 meses en el frigorífico.

Consejo: la *shatta*, que es otra salsa de Oriente Medio, se prepara de la misma forma, pero con guindillas rojas menos picantes, lo que da como resultado un sabor ligeramente más suave. Es excelente para dar vida a una ensalada.

SALSA *HARISSA*

Esta salsa especiada de chiles rojos procede del Magreb, especialmente de Túnez y Marruecos. En Argelia también se la conoce como *dersa*. Se sirve con casi cualquier cosa salada: desde tajines hasta pescado a la parrilla o, simplemente, como mojo en el que untar trozos de pan crujiente. Aunque existen algunas buenas variedades de *harissa* ya preparada, también hay muchas de mala calidad, así que siempre es mejor que la prepare usted. Se conserva 1 mes en el frigorífico o 3 meses en el congelador.

Para preparar 350 ml

5 chiles jalapeños rojos picados gruesos
200 g de tomates pera en conserva
3 dientes de ajo majados
1 c/s de concentrado de tomate
1 c/s de comino molido
2 c/s de curry picante en polvo
1 c/p de *carvi* molido
1 c/p de cilantro molido
½ c/p de pimienta de cayena
50 ml de aceite de oliva
un chorrito de vinagre
una pizca de sal gruesa

1 Introduzca todos los ingredientes, excepto el vinagre y la sal, en una batidora, y bata hasta obtener una pasta espesa y homogénea.
2 Pásela a un cuenco y añada el vinagre y la sal.

BROCHETAS DE CORDERO Y *MERGUEZ* CON CUSCÚS CON CALABAZA Y MENTA

En este sabroso plato con cordero, la salsa *harissa* se usa como adobo para la carne.

Para 4 personas

4 piezas gruesas de carne de cordero, de 200 g cada una, pulidas y cortadas en dados grandes
175 g de salchichas de *merguez* en trozos gruesos
2 c/s de salsa *harissa* (*véase* izquierda)
el zumo de ½ limón
1 c/s de aceite de oliva

para el cuscús

400 g de calabaza pelada cortada en dados
200 g de cuscús
200 ml de fondo de ave caliente (*véase* pág. 9)
4 c/s de hojas de menta picadas
2 c/s de aceite de oliva
una pizca de comino
sal y pimienta negra recién molida
yogur natural con azafrán infusionado, para servir

1 Introduzca el cordero y el *merguez* en un cuenco y añada la salsa *harissa*, el zumo de limón, aceite y un poco de sal. Deje reposar la mezcla durante 1 hora, tapada y a temperatura ambiente.
2 Ensarte, alternando, dados de cordero y de *merguez* en 4 broquetas de madera humedecidas.
3 Precaliente una barbacoa o una parrilla y cocínelas 6-8 minutos, hasta que queden chamuscadas, pero rosadas en el centro; déles la vuelta regularmente a medida que se vayan haciendo.
4 Mientras, cueza la calabaza en la barbacoa.
5 Ponga el cuscús en un cuenco y añada el fondo caliente, cubra con film transparente y déjelo reposar 2-3 minutos. Retire el film y esponje los granos con un tenedor. Añada la calabaza a la parrilla, la menta, el aceite, el comino y sal y pimienta al gusto.
6 Sirva la carne con el cuscús con el yogur con azafrán.

MESHWIYA

Esta salsa es aproximadamente el equivalente a la salsa mexicana, picante y fuerte, pero fresca y viva al mismo tiempo ⊕ *Sírvala con una pierna de cordero asada con especias o con chuletas de cordero a la parrilla, y en los días estivales úntela en rebanadas gruesas de baguette mientras la barbacoa se va calentando.*

Para preparar 150 ml

3 tomates pera maduro, pero firmes, picados en trocitos
1 pimiento rojo grande asado, sin las semillas y picado
1 c/p de salsa *harissa* (*véase* pág. 98)
2 dientes de ajo majados
1 c/p de comino
2 c/s de aceite de oliva
el zumo de ½ limón
2 c/s de perejil de hoja plana picado
sal y pimienta negra recién molida

1 Caliente una sartén sin aceite a fuego medio, añada los tomates y el pimiento y cocínelos durante 1 minuto, o hasta que los tomates empiecen a quedar tiernos. Añada la salsa *harissa* y cocine 1 minuto más.
2 Pase el contenido de la sartén a un cuenco y añada los restantes ingredientes. Mezcle bien, salpimiente al gusto y sirva a temperatura ambiente.

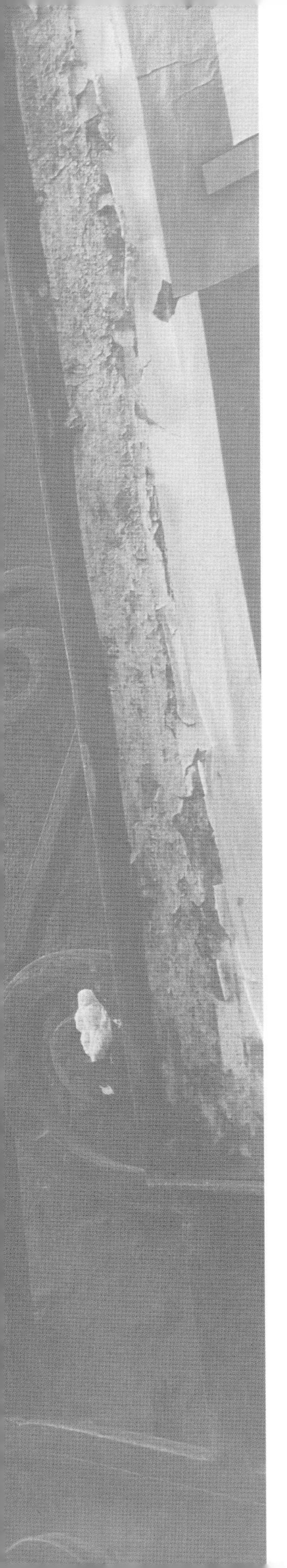

AMÉRICA

Existe un dicho: «Pruebe la cocina de un país y saboreará su cultura». En ningún lugar del mundo esto es tan cierto como en los países de Sudamérica y el Caribe. Allí rechazan las tradicionales salsas francesas y europeas a base de productos lácteos en favor de salsas especiadas, ligeras y picantes con un elevado contenido en guindillas o chile, limas, finas hierbas y especias. Estos ingredientes no sólo aportan sabor y textura, sino que suponen toda una declaración de osadía y emociones. Estimulan la vista, al mismo tiempo que revitalizan el paladar. Además, su preparación es fácil y son muy saludables.

En América es casi imposible imaginar una comida sin salsas. En México, los huevos servidos en el desayuno van siempre acompañados de un cuenco con salsa fresca, un condimento preparado con tomate, mientras que por la tarde se consumen salsas más complejas preparadas con chiles secos y especias majados. En el Caribe destacan las salsas criollas, populares en las islas francófonas, o el sofrito, propios de las islas hispanoparlantes, como Cuba. También encontramos salsas de este tipo en el sur profundo de Estados Unidos que tiene fuertes vínculos históricos con el Caribe.

SALSA CRIOLLA

Se trata de una salsa clásica que la mayoría de los criollos de Louisiana conoce con el nombre de *salsa roja*, y es la base de las famosas gambas criollas o de cualquier plato de pescado que requiera una salsa roja ligeramente picante. Al igual que muchas salsas de esta región, su preparación comienza con la «santísima trinidad» formada por cebollas, apio y pimientos morrones. ⊕ *Queda bien con cualquier pescado firme, como el pargo o el rape.*

Para preparar 750 ml

25 g de mantequilla sin sal
1 c/s de aceite de oliva
1 cebolla picada
2 tallos de apio pelados y cortados en rodajas finas
2 dientes de ajo majados
1 pimiento verde sin las semillas y cortado en dados de 2 cm
½ c/p de comino molido
½ c/p de hojas de orégano fresco
1 c/s de concentrado de tomate
1 c/p de vinagre de vino blanco
300 ml de fondo de ave (*véase* pág. 9)
60 ml de vino blanco seco
1 c/p de salsa Worcestershire
2 c/s de perejil de hoja plana picado
1 hoja de laurel
sal y una pizca de chile en polvo

1 Caliente la mantequilla y el aceite en una cacerola y añada la cebolla, el apio, el ajo y el pimiento. Cueza a fuego lento hasta que quede todo tierno y ligeramente dorado.
2 Añada el comino y el orégano y cocine 1 minuto.
3 Incorpore el concentrado de tomate y cocine durante 2 minutos más.
4 Añada el vinagre, el fondo, el vino, la salsa Worcestershire, el perejil y la hoja de laurel. Mezcle y cueza durante 2-3 minutos. Condimente con sal y chile en polvo.

PARGO CRIOLLO CON CEBOLLAS CRUJIENTES PICANTES

Para 4 personas

4 filetes de pargo de 175 g cada uno cortados longitudinalmente por la mitad
el zumo de 2 limas
1 diente de ajo majado
sal y pimienta negra recién molida
2 c/s de aceite de oliva
250 ml de salsa criolla (*véase* receta anterior)

Para las cebollas

1 c/s de especias cajun (mezcla que contiene sal, pimienta de cayena, pimienta negra, cebolla en polvo, ajo en polvo, chile en polvo, tomillo, albahaca y laurel)
1 c/s de harina
2 cebollas peladas y cortadas en láminas finas
2 c/s de leche entera
aceite para freír
perejil de hoja plana, para servir

1 Disponga el pescado en una bandeja, recúbralo ligeramente con el zumo de lima, el ajo y un poco de sal y pimienta y déjelo marinar durante 30 minutos. Retírelo y elimine el exceso de humedad con papel de cocina.
2 Caliente el aceite en una sartén y, cuando esté caliente, añada el pescado y fría 1-2 minutos por cada lado, hasta que esté dorado. Retírelo a un plato. Vierta la salsa criolla en la sartén, coloque el pescado encima tape y cueza 4-5 minutos a fuego lento.
3 Mientras, para preparar las cebollas, mezcle las especias cajun con la harina en un cuenco. Sumerja las cebollas en la leche y rebócelas de la mezcla de la harina y las especias, agitando para eliminar el exceso.
4 Fríalas en aceite caliente (160 °C) hasta que queden crujientes y doradas y escúrralas sobre papel de cocina. Disponga el pescado y la salsa en una fuente, ponga las cebollas picantes encima, y sirva. Puede añadir perejil de hoja plana para servir.

SALSA VERDE MEXICANA

Las siguientes dos salsas, verde y roja, son básicas en la cocina mexicana. Parece como si la una o la otra acompañaran casi cualquier comida. La salsa verde puede prepararse cocinada o cruda; es cuestión de preferencias personales, así que les proporciono mi versión favorita: la cocinada.

La salsa roja tradicionalmente se cocina y, por tanto, tiende a ser la más fuerte de las dos. Ambas versiones se vierten sobre un plato de carne, pescado o huevos. Puede usar un mortero y una mano de mortero, en lugar de una batidora, para los dos primeros pasos de esta receta, si lo prefiere.

Para preparar 200 ml

6 tomatillos o tomates verdes pequeños frescos cortados por la mitad
2 chiles serranos verdes
1 chile jalapeño verde
1 cebolla pequeña picada
2 dientes de ajo majados
unos puñados de hojas de cilantro fresco
sal y una buena pizca de comino

1 Tueste, en una sartén sin aceite, los chiles, removiendo 1 minuto hasta que desprendan su aroma y estén ligeramente chamuscados y tengan puntitos negros. Páselos a una batidora.

2 Añada los tomates en la misma sartén sin aceite, fríalos hasta que se chamusquen e incorpórelos a la batidora.

3 Añada la cebolla, el ajo y el cilantro en la batidora. Triture con agua suficiente para obtener una consistencia similar a la de una salsa.

4 Condimente con sal y comino. Se conservará varios días en el frigorífico.

Consejo: una nota sobre los chiles

Los chiles serranos son de color rojo o verde y su grado de picante se encuentra entre moderado y muy picante, y éste es muy intenso. Se suelen usar en la cocina tailandesa, pero están más relacionados con la cocina mexicana y la del sudoeste de Estados Unidos. Los chiles jalapeños son verdes cuando están maduros, son picantes y su mordacidad es inmediata. Se comercializan frescos, en conserva o encurtidos.

Los puede adquirir en tiendas de especias y buenos supermercados. Si no los encuentra, puede usar cualquier guindilla verde picante de calidad.

SALSA ROJA

Las innumerables variedades de chiles mexicanos aportan distintas cualidades a las recetas: el sabor a frutos secos de la variedad cascabel, el abrasador picante de la variedad de árbol y el toque ahumado de la variedad chipotle rojo, aunque cualquier guindilla seca le proporcionará el picante necesario. Esta salsa también se conoce con el nombre de salsa enchilada.

Para preparar 200 ml

10 g de chiles secos pequeños y picantes (de la variedad de árbol o ancho)
4 dientes de ajo sin pelar
4 tomates pera maduros, pero firmes, cortados por la mitad
½ c/p de azúcar
½ c/p de orégano seco
1 c/s de aceite
una buena pizca de comino
sal

1 Tueste, en una sartén sin aceite, los chiles, removiendo 1 minuto hasta que desprendan su aroma, se chamusquen ligeramente y tengan puntitos negros. Páselos a un cuenco, cúbralos con agua caliente y déjelos 30 minutos en remojo.
2 En la misma sartén, tueste el ajo unos 15 minutos; vaya dándole la vuelta frecuentemente hasta que esté tierno y tenga algunos puntos oscuros. Déjelo enfriar y pélelo.
3 Añada los tomates a la misma sartén y cocínelos unos 5 minutos por cada lado a fuego lento hasta que se haya chamuscado. Páselos a una batidora.
4 Escurra los chiles en remojo y añádalos a los tomates en la batidora. Tritúrelos y añada agua suficiente para obtener una consistencia parecida a la de una salsa.
5 Agregue el azúcar, el orégano, el aceite, el comino y un poco de sal y vuelva a triturar 30 segundos más. Se conservará varios días en el frigorífico.

SALSA FRESCA (o salsa cruda)

Es la más sencilla de las salsas de mesa de la cocina mexicana. Cada familia tiene su versión favorita. Tiene un sabor fresco y muy apetecible. Este tipo de salsas permite ahorrar mucho tiempo en la cocina, ya que son muy fáciles de preparar y quedan perfectas con huevos, alubias, nachos, marisco y pollo. Para obtener la máxima frescura, no las prepare con demasiada antelación y úselas lo antes posible. Los chiles rojos pueden reemplazarse por chiles verdes o amarillos.

Para preparar 200 ml

300 g de tomates en rama maduros, pero firmes, cortados en daditos
1 cebolla roja cortada en daditos
2 chiles jalapeños rojos picados finos
1 c/s de azúcar lustre o de jarabe de arce
el zumo de 3 limas
2 dientes de ajo majados
2 c/s de orégano fresco y otras tantas de cilantro fresco

1 Mezcle todos los ingredientes en un cuenco y déjelos por lo menos 30 minutos para que se potencien los sabores antes de usar la salsa.

Variantes

En ciertas regiones de México, se agregan a las salsas especias como el comino o la pimienta de cayena molidos o hierbas aromáticas como el orégano. Las variantes son ilimitadas, así que añada cualquier hierba aromática o especia que crea que pueden quedar bien.

PICO DE GALLO

Se trata de una salsa de mesa mexicana similar, aunque más picante, que emplea la misma receta, pero con los chiles cocinados a la parrilla antes de picarlos y con 2 c/s de vinagre blanco destilado en lugar del zumo de lima.

SALSA VERDE

No siempre es fácil encontrar tomatillos. Los tomates verdes son un sustitutivo aceptable, pero no tienen la acidez similar a la de la manzana y el limón de los tomatillos.

Consejo:

LIMAS

Cuando las limas estén ligeramente duras y sea difícil exprimirlas, introdúzcalas 10 segundos en el microondas (no más, o el zumo estará muy caliente) para extraer el zumo.

CHIMOL

Se trata de una salsa salvadoreña sencilla y sabrosa. ⊕ *Me encanta con churrasco frotado con comino a la barbacoa y también con queso de cabra adobado untado sobre nachos y rematado con la salsa.*

Para preparar 200 ml

4 tomates en rama cortados por la mitad
2 c/s de aceite de oliva
un buen manojo de cilantro fresco
el zumo de 2 limas
3 c/s de hojas de menta recién picadas
1 cebolla roja pequeña picada fina
4 rábanos picados
½ c/s de comino molido
una pizca de copos de chile seco
sal

1 Ponga una parrilla al fuego hasta que esté caliente, pincele las mitades de tomate con el aceite de oliva y cocínelos a la parrilla hasta que estén tiernos y ligeramente chamuscados.
2 Mientras, mezcle los restantes ingredientes en un cuenco con sal al gusto.
3 Incorpore los tomates a la parrilla al cuenco, aplástelos y mézclelo todo bien. Rectifique el punto de sazón y deje reposar 30 minutos para que se potencien los sabores antes de servir.

AJILIMOJILI

Es una salsa portorriqueña picante con ajo, pimiento y chile. ⊕ *Es excelente con carne de cerdo asada o como adobo o marinada para carne o pescado.*

Para preparar 300 ml

3 chiles rojos picantes (preferiblemente serranos) sin las semillas y picados
2 pimientos morrones verdes cortados por la mitad, sin las semillas y picados gruesos
4 granos de pimienta negra
4 dientes de ajo pelados
sal
el zumo de 4 limas
100 ml de aceite de oliva
3 c/s de cilantro fresco picado

1 Introduzca los chiles y los pimientos en un mortero (o una batidora), junto con los granos de pimienta, el ajo y un poco de sal y májelos (o tritúrelos) hasta obtener una pasta.
2 Añada el zumo de lima y el aceite y májelos (o tritúrelos) hasta obtener un puré. La salsa acabada se conservará 1 semana en el frigorífico, en un tarro bien cerrado.

MOLE ROJO MEXICANO

El mole (su nombre procede de la palabra «moler») es el plato nacional mexicano, lo que podría sorprenderle si su experiencia con la cocina de este país se limita a las enchiladas o a los burritos. Cada hogar mexicano tiene su receta favorita para el mole, y hay innumerables versiones. Siempre contienen semillas o frutos secos molidos y, por supuesto, chiles, y se suele servir con pollo o carne. Este mole rojo es una salsa con matices dulces, un poco de amargor, sabor a frutos secos y notas terreras, todo en uno.

No se deje intimidar por la larga lista de ingredientes, ya que su elaboración merece la pena. Puede encontrar tortillas crujientes de maíz en tiendas especializadas; no use tortillas de harina de trigo, pues su sabor es completamente distinto.

Para preparar 1 l

2 chiles secos de la variedad ancho
2 chiles secos de la variedad pasilla o ½ c/p de copos de chile seco
750 ml de fondo de ave (*véase* pág. 9)
2 tortillas de maíz de 15 cm de diámetro
1 c/s de manteca o de aceite vegetal
1 cebolla picada
½ c/p de orégano seco
2 dientes de ajo majados
400 g de tomates en conserva
50 g de pasas en remojo hasta que se hinchen y escurridas
75 g de chocolate mexicano sin edulcorantes (*véase* consejo, a la derecha)
2 c/s de mantequilla de cacahuete
1 c/s de vinagre de vino blanco
1 c/p de azúcar
½ c/p de canela molida
½ c/p de clavos de especia molidos
1 c/p de semillas de cilantro
1 c/s de semillas de sésamo tostadas
una pizca de anís molido
sal

1 Ponga al fuego una sartén sin aceite, añada los chiles y tuéstelos hasta que desprendan su aroma y estén chamuscados en algunos puntos. Páselos a un cuenco, cúbralos con agua y déjelos 30 minutos en remojo.

2 Vierta 250 ml del fondo de ave en una cacerola y lleve a ebullición. Añada las tortillas y retire del fuego.

3 Caliente la mitad de la manteca o el aceite en una cacerola y agregue la cebolla, el orégano y el ajo. Cocínelos 3-4 minutos hasta que estén tiernos.

4 Retire los chiles del agua y píquelos gruesos. Añádalos a las cebollas en la cacerola y cocine 30 segundos.

5 Vierta el fondo con las tortillas (éstas se habrán disuelto en el fondo) y lleve a ebullición.

6 Añada los tomates y los ingredientes restantes, junto con un poco de sal. Pase la mezcla a una batidora y triture hasta que quede homogénea.

7 Vuelva a introducir la mezcla en la cacerola, añada el fondo restante y cueza durante 12-15 minutos a fuego lento.

MOLE ROJO SENCILLO CON POLLO

Cocine algunos trozos de pollo en una cazuela hasta que queden dorados. Vierta el mole rojo sobre el pollo, cubra con una tapa o con papel de aluminio y hornee durante 45 minutos a 190 °C, o hasta que el pollo esté cocinado. Esparza algunas semillas de sésamo tostadas por encima antes de servir.

Consejo: el chocolate mexicano es distinto al europeo: algunos son muy dulces y otros no contienen edulcorantes. Frecuentemente tienen sabores, y los de algunas marcas comerciales contienen canela. Si viaja a México, busque el chocolate de Oaxaca o de Puebla, y tráigase algo. Si no, use chocolate con el mayor porcentaje posible de cacao (por lo menos el 70 %).

MOJO CRIOLLO

Mojo es el nombre colectivo de varias salsas y condimentos picantes originarios de las islas Canarias. Están compuestas, básicamente, por aceite de oliva, ajo, guindilla y comino y un componente ácido como vinagre o limón, y se sirven al inicio de una comida.

Podemos encontrar mojos similares en el Caribe y en Cuba, donde son la salsa de mesa nacional: el mojo es a la cocina cubana lo que la salsa es a la cocina mexicana y las vinagretas son a la cocina francesa. La receta que sigue es, posiblemente, la del mojo más conocido de todos. ⊕ *Sírvalo con casi cualquier cosa. Resulta especialmente delicioso con carne o pescado a la parrilla. Los mojos tienen mejor sabor si se sirven un par de horas después de prepararlos.*

Para preparar 300 ml

75 ml de aceite de oliva
2 dientes de ajo majados
125 ml de zumo de naranja amarga o mitad y mitad de zumo de lima y de zumo de naranja recién exprimidos
1 c/p de comino
1 guindilla roja picante sin las semillas y picada fina
1 c/p de vinagre de jerez (opcional)
1 c/s de ketchup (opcional)
sal y pimienta negra recién molida

1 Caliente el aceite y el ajo en una cacerola unos 30 segundos a fuego lento hasta que quede ligeramente dorado, pero no oscuro.
2 Añada el zumo de naranja amarga a la mezcla de zumo de naranja y lima, el comino y la guindilla, lleve a ebullición y cueza 3-4 minutos a fuego lento, hasta que se haya reducido un poco.
3 Retire del fuego y deje enfriar un poco antes de añadir el vinagre y el ketchup, si los usa. Salpimiente al gusto y deje reposar un par de horas para que los sabores se potencien. Se conservará 2 días, tapado, en el frigorífico.

Variantes

MOJO CON AJO

Reemplace la guindilla por guindillas rojas encurtidas, añada el doble de la cantidad de ajo (4 dientes) y, cuando esté frío, agregue 2 c/s de perejil de hoja plana picado.

MOJO CON CEBOLLA ROJA, POMELO Y CILANTRO

Proceda como en la receta básica, pero reemplace el zumo de naranja por zumo de pomelo y añada ½ cebolla roja picada y algunas hojas de cilantro recién picadas al final, antes de dejar enfriar. Resulta ideal con carne de cangrejo recién desmenuzada.

MOJO CON MANGO Y MENTA

Agregue ½ mango fresco picado y 2 c/s de hojas de menta picadas gruesas a la receta del mojo básico. Es excelente con cordero.

SALSA DE AJÍ PERUANA

Se trata de un mojo verde peruano. El ají es una variedad de chile picante. ⊕ *Es deliciosa con langostinos al vapor.*

Para preparar 250 ml

1 chile jalapeño verde fresco
½ lechuga romana
125 ml de mayonesa (*véase* pág. 30)
2 rebanadas de pan blanco sin la corteza y remojadas en 50 ml de agua
un buen puñado de hojas de cilantro fresco

1 Ponga una sartén sin aceite a fuego medio, añada los chiles y tuéstelos durante 2-3 minutos, hasta que queden completamente chamuscados. Retírelos y déjelos enfriar.
2 Retire el corazón de la lechuga y corte las hojas en trozos pequeños.
3 Introduzca la lechuga y los chiles tostados en una batidora, junto con la mayonesa, y triture hasta obtener un puré.
4 Retire, sin dejar de presionar, el exceso de agua del pan y añádalo a la batidora junto con el cilantro. Triture hasta obtener un puré homogéneo. La salsa acabada se conservará 2 días, tapada, en el frigorífico.

SALSA DE MANÍ

⊕ *En Ecuador, esta cremosa salsa de cacahuete suele acompañar a las populares croquetas fritas de patata. También resulta muy sabrosa al usarla como base para el pollo estofado (véase la receta inferior).*

Para preparar 600 ml

2 c/s de aceite de oliva
1 cebolla picada fina
2 dientes de ajo majados
1 pimiento rojo grande abierto por la mitad, sin las semillas y cortado en tiras
1 c/p de comino molido
½ c/p de orégano seco
1 c/s de concentrado de tomate
400 g de tomates en conserva
3 c/s de mantequilla de cacahuete fina
sal y pimienta negra recién molida

1 Caliente el aceite en una cacerola, añada las cebollas, el ajo y el pimiento y cocínelos 3-5 minutos, hasta que empiecen a estar tiernos.
2 Agregue el comino, el orégano, el concentrado de tomate y los tomates y lleve a ebullición. Cocine durante 8-10 minutos, hasta que la salsa empiece a quedar sabrosa y espesa.
3 Incorpore, sin dejar de remover, la mantequilla de cacahuete, salpimiente al gusto y cocine 5 minutos más. La salsa se conservará, tapada, 2-3 días en el frigorífico.

POLLO ESTOFADO CON SALSA DE MANÍ Y TOMATES

(para 4 personas)

Corte en trozos un pollo de corral de 1,5-1,8 kg y salpimiéntelo. Fríalo 5-6 minutos con 2 c/s de aceite vegetal caliente; déle la vuelta algunas veces, hasta que quede completamente dorado. Añada 600 ml de salsa de maní, junto con 250 ml de fondo de ave y mezcle bien. Tape y cueza 12-15 minutos a fuego lento hasta que el pollo esté cocinado.

SALSA RANCHERA

El término *salsa* significa, normalente, en Latinoamérica, una mezcla cruda de chiles y tomates. ⊕ *Esta versión con tropezones acompaña muy bien las recetas que contienen huevos, pero también el pollo y el pescado.*

Para preparar 300 ml

2 c/s de aceite vegetal
1 cebolla picada fina
3 dientes de ajo
1 chile jalapeno rojo picado
6 tomates maduros, pero firmes, picados (o 200 g de tomates en conserva)
1 c/p de concentrado de tomate
1 pizca de azúcar
1 c/p de comino molido
1 c/p de hojas de orégano picadas
1 c/s de cilantro picado

1 Caliente el aceite en una cacerola, añada la cebolla, el ajo y el chile y cocínelos 8-10 minutos.
2 Agregue los tomates, el concentrado de tomate, el azúcar, el comino, el orégano y el cilantro y cueza 10-12 minutos a fuego lento y potenciará los sabores.
3 Retire del fuego y deje enfriar. La salsa se conservará, tapada, 2-3 días en el frigorífico.

HUEVOS RANCHEROS

Disfruté por primera vez de esta receta en Texas, mientras me hospedaba en el hotel The Mansion, en Turtle Creek, hace unos 15 años.

Para 4 personas

4 c/s de aceite vegetal
1 cebolla pequeña picada fina
1 diente de ajo majado
1 guindilla roja picada fina
125 g de alubias negras ligeramente aplastadas
½ c/p de comino molido
4 tortillas de maíz
4 huevos de gallinas camperas
100 g de guacamole (*véase* el consejo)
150 ml de salsa ranchera (*véase* izquierda), para servir

1 Caliente 1 c/s del aceite en una cacerola, añada la cebolla, el ajo y la guindilla y cocínelos 2 minutos, sin dorarlos. Agregue las alubias y el comino y caliéntelos. Retire del fuego y consérvelos calientes.
2 Caliente 1 c/p del aceite en una sartén grande y fría cada tortilla, una de cada vez, añadiendo más aceite a medida que vaya siendo necesario, hasta que queden crujientes y doradas. Retírelas, deje que escurran el exceso de aceite sobre papel de cocina y consérvelas calientes.
3 Añada el aceite restante a la sartén y fría los huevos.
4 Para servir, disponga una tortilla crujiente en cada plato y ponga las alubias fritas por encima. Coloque encima un huevo frito y una buena cucharada de guacamole. Vierta la salsa ranchera.

Consejo: guacamole
Corte 1 aguacate grande por la mitad y deshuéselo. Retire la pulpa con una cuchara, introdúzcala en un cuenco y macháquela ligeramente con un tenedor, dejando algunos grumos. Incorpore, sin dejar de remover, ½ cebolla roja picada fina, 1 chile verde sin las semillas y picado fino, 25 g de cilantro picado, 1 tomate maduro sin las semillas picado fino, 2 c/s de zumo de lima y sal al gusto. Sírvalo de inmediato.

KETCHUP CAJUN FÁCIL

A todos nos gusta el ketchup sobre una hamburguesa o unas patatas fritas crujientes. Es insuperablemente dulce y apetitoso. La adición de un toque picante con unas especias cajun proporciona otra dimensión de sabor.

Para preparar 300 ml

1 c/s de aceite de oliva
1 cebolla grande picada fina
8 tomates dulces muy maduros, sin las semillas y picados gruesos
45 g de azúcar moreno blando
2 c/s de melaza
3 c/s de vinagre de vino blanco o de sidra
2 c/s de concentrado de tomate
½ c/p de mostaza seca en polvo
1 c/s de especias cajun (mezcla que contiene sal, pimienta de cayena, pimienta negra, cebolla en polvo, ajo en polvo, chile en polvo, tomillo, albahaca y laurel)
el zumo de ½ limón
sal y pimienta negra recien molida

1 Vierta el aceite en una cacerola puesta al fuego hasta que esté muy caliente. Añada la cebolla y los tomates, tape y deje 3-4 minutos a fuego fuerte.
2 Agregue los ingredientes restantes, excepto el zumo de limón, la sal y la pimienta; baje el fuego y cueza 25 minutos sin tapar, removiendo de vez en cuando.
3 Retire del fuego y añada el zumo de limón. Páselo todo a una batidora y triture hasta que quede homogéneo (para obtener un ketchup realmente fino, tamícelo).
4 Salpimiente y déjelo enfriar por completo antes de servirlo. Como alternativa, consérvelo en el frigorífico hasta 1 mes, hasta que lo necesite.

Consejo: si no puede adquirir especias cajun, prepare su mezcla: maje hasta reducir a polvo, con un mortero y una mano de mortero, 1 c/p de cada uno de los siguientes ingredientes: ajo picado, pimienta de cayena, pimientón, tomillo seco y orégano seco, y un poco de sal y pimienta.

SALSA PEBRE

En Chile, esta salsa picante acompaña a casi todos los platos. El grado de picante puede variar entre distintos cocineros, y oscila entre un picante suave y uno que se puede aliviar con una bebida fría. Esta receta es tal y como me gusta, no demasiado picante, pero con intención.

Para preparar 300 ml

2 guindillas rojas picantes pequeñas (o ½ c/p de salsa Tabasco)
120 ml de aceite de oliva
1 cebolla picada fina
2 c/s de cilantro picado
2 c/s de perejil de hoja plana picado
3 dientes de ajo majados
1 c/p de orégano fresco
4 c/s de vinagre de vino tinto
sal y pimienta negra recién molida

1 En una batidora, triture las guindillas, junto con la mitad del aceite, hasta obtener un puré. Páselo a un cuenco.
2 Añada los restantes ingredientes y rectifique el punto de sazón. Deje reposar 2 horas, sin tapar, a temperatura ambiente para que se potencien los sabores. Se conservará en el frigorífico, sin tapar, 3 días, pero es mejor consumirla el mismo día de su preparación.

SOFRITO

El sofrito es una de las piedras angulares de la cocina del Caribe hispano. El olor de las cebollas, el ajo y los pimientos salteados impregna los hogares. ⊕ *Úselo como base para sopas, estofados y platos de arroz, de forma muy parecida a la versión italiana, el* soffrito. *También es una gran cobertura para pizzas o* crostini.

Para preparar 350 ml

2 c/s de aceite de oliva o manteca derretida
1 cebolla picada fina
3 dientes de ajo majados
2 pimientos rojos cortados por la mitad, sin las semillas y picados finos
½ c/p de comino molido
½ c/p de orégano seco
1 hoja de laurel
200 g de tomates en conserva picados finos
sal y pimienta negra recién molida
2 c/s de cilantro picado

1 Caliente el aceite en una sartén antiadherente y añada la cebolla, el ajo, los pimientos, el comino, el orégano y la hoja de laurel. Cocínelos 5-6 minutos a fuego lento hasta que estén tiernos.
2 Añada los tomates junto con algo de sal y pimienta y cocínelos a fuego lento hasta que se hayan reducido y la mezcla quede más espesa. Incorpore, sin dejar de remover, el cilantro y agregue un poco más de comino, si lo desea. El sofrito se conservará 3-4 días en el frigorífico.

SALSA GUASACACA

⊕ *Se trata de una colorida variante venezolana del guacamole que se sirve, tradicionalmente, con carnes a la brasa. También me encanta con huevos duros.*

Para preparar 200 ml

1 aguacate maduro grande
4 c/s de aceite de oliva
1 diente de ajo majado
2 c/s de vinagre de vino tinto
½ c/p de salsa de chile rojo picante (o 1 guindilla roja picante picada fina)
sal y pimienta negra recién molida
2 tomates en rama sin las semillas y cortados en dados de 5 mm
1 pimiento verde pequeño cortado por la mitad, sin las semillas y picado fino
1 pimiento rojo pequeño cortado por la mitad, sin las semillas y picado fino
2 huevos duros picados de gallinas camperas
1 c/s de perejil de hoja plana picado
1 c/s de cilantro recién picado

1 Corte el aguacate por la mitad, deshuéselo y pélelo. Triture una mitad y resérvela. Pique la otra mitad en daditos.
2 Mezcle, en un cuenco, el aceite, el ajo, el vinagre, la salsa de chile o la guindilla y la sal y la pimienta.
3 Añada los tomates, los pimientos, los huevos, las hierbas aromáticas y el aguacate picado. Mézclelos con delicadeza.
4 Incorpore el aguacate triturado, rectifique el punto de sazón y sirva.

SALSA CHIMICHURRI CON MENTA

La salsa chimichurri clásica es la mejor compañera de la carne en toda Argentina, y la probé por primera vez untada generosamente sobre una pieza de falda ahumada dentro de un panecillo tierno en una barbacoa en Houston, Texas. Me sorprendió gratamente y ahora tiene su lugar habitual en mis menús. Podría describirse como la respuesta latinoamericana al pesto italiano. Tradicionalmente sólo se usan perejil y orégano, pero aquí les ofrezco mi variante favorita, con menta. Si omite la menta, duplique la cantidad de perejil. ⊕ *Esta salsa con sabor a menta supone un gran adobo para entrecots y hortalizas.*

Para preparar 300 ml

1 manojo de hojas de menta fresca
1 manojo pequeño de perejil de hoja plana
1 c/p de copos de chile seco
3 dientes de ajo majados
100 ml de aceite de oliva suave
4 c/s de agua
3 c/s de vinagre de vino tinto
1 c/p de orégano seco
sal y pimienta negra recién molida
4 tomates pera pelados, sin las semillas y picados (opcional)

1 Triture, en una batidora, la menta y el perejil, los copos de chile y el ajo, hasta que quede una pasta fina.
2 Añada el aceite, el agua, el vinagre, el orégano y un poco de sal y pimienta y triture hasta que quede una salsa algo gruesa. Agregue los tomates, si los usa.
3 Deje que la salsa repose unas horas antes de servirla. Se conservará 2-3 días en el frigorífico, en un tarro con tapa, aunque tiene mejor sabor si se sirve recién hecha.

SALSA *CHIEN*

(Salsa perro)

Conocí esta salsa de extraño nombre hace muchos años, en el famoso La Sammana Resort Hotel, en la isla de St. Maarten, en el Caribe. El chef que la servía la vertía sobre el pescado a la parrilla y las hortalizas, pero no fue capaz de decirme el origen de su nombre. Mis investigaciones desde entonces sugieren que recibió su nombre de las numerosas manadas de perros salvajes que vagabundean por la isla. Es, en esencia, similar a una vinagreta francesa, aunque con el espíritu y el carácter de las Indias Occidentales Francesas.

Para preparar 150 ml

2 dientes de ajo majados
1 chile rojo picante (de la variedad habanero o scotch bonnet)
2 chalotas picadas finas
3 cebolletas picadas finas
3 c/s de cilantro picado
2 c/s de perejil de hoja plana picado
½ c/p de hojas de tomillo picadas
sal y pimienta negra recién molida
el zumo de 2 limas
50 ml de aceite de oliva
3 c/s de agua hirviendo

1 Mezcle, en un cuenco, el ajo, el chile, las chalotas, las cebolletas, las hierbas aromáticas y un poco de sal y pimienta.

2 Añada el zumo de lima e incorpore el aceite, sin dejar de batir, con unas varillas.

3 Agregue el agua hirviendo, bata con las varillas para obtener una emulsión ligera y rectifique el punto de sazón. Déjela reposar 1 hora antes de usarla para que se potencien los sabores. Puede conservarse 2 días en el frigorífico, en un recipiente hermético.

ALIÑO CÉSAR

Este aliño clásico lo creó el chef César Cardini en México, en 1924, en su restaurante de Tijuana. En la actualidad es todo un icono mundial que podemos encontrar tanto en los restaurantes informales como en los lujosos.

El arte de elaborar un gran aliño César y, por tanto, una gran ensalada, consiste en dar con el equilibrio justo; por ejemplo, demasiado ajo resultaría abrumador.

En mi versión de la receta he añadido las anchoas, aunque la receta original no las incluye.

Para preparar 250 ml

1 huevo grande de gallina campera
1 c/p de salsa Worcestershire
el zumo de ½ limón
1 diente de ajo majado
4 anchoas saladas enjuagadas, secadas y picadas finas
1 c/p de alcaparras superfinas enjuagadas y picadas
1 c/p de mostaza de Dijon
pimienta negra recién molida
75 ml de aceite de oliva virgen extra
40 g de parmesano rallado fino

1 Sumerja el huevo 1 minuto en agua hirviendo. Retírelo y déjelo enfriar.

2 Mezcla la salsa Worcestershire, el zumo de limón, el ajo, las anchoas, las alcaparras y la mostaza en un cuenco. Sazone con pimienta.

3 Casque el huevo en el cuenco y bata hasta que la mezcla quede homogénea. Vierta el aceite en un hilillo, batiendo con unas varillas hasta que la mezcla quede homogénea y emulsionada. No añada el aceite rápidamente o la salsa se cortará.

4 Incorpore, sin dejar de remover, el parmesano rallado.

Variante

ALIÑO CÉSAR AL ROQUEFORT

Reemplace el parmesano por queso Roquefort desmenuzado.

CHUTNEY ISLA TROPICAL

Se trata más de una salsa que de un *chutney*, aunque se elabora de la misma forma. Muchas salsas del Nuevo Mundo incluyen fruta, lo que no sorprende, debido a la abundancia de fruta en esta parte del globo.

Para preparar 350 ml

150 ml de vinagre de sidra
50 g de azúcar lustre
25 g de azúcar moreno oscuro
1 cebolla roja cortada en daditos
1 chile rojo picante sin semillas y cortado en daditos
un trozo de 2,5 cm de jengibre fresco pelado y rallado
½ c/p de canela molida
½ c/p de mezcla de especias molidas (pimienta de Jamaica, carvi, nuez moscada, jengibre, semillas de cilantro, clavo de especia y canela)
50 g de pasas de Esmirna
1 mango maduro pelado y cortado en daditos
150 g de piña fresca pelada y cortada en daditos
1 guayaba pelada y cortada en daditos
1 plátano pelado y cortado en daditos
2 c/p de cilantro picado (opcional)

1 Vierta el vinagre y ambos azúcares en una cacerola de base gruesa y lleve a ebullición a fuego lento. Añada la cebolla, el chile, el jengibre y las especias y cocínelos 10 minutos más.

2 Agregue las pasas de Esmirna y las frutas cortadas en dados y cueza a fuego lento durante 15 minutos más. Deje enfriar y añada el cilantro (si lo usa) antes de servir.

SALSA *XNIPEC*

Se trata de una salsa agridulce preparada con chiles habaneros originaria de la península del Yucatán, en México. El chile habanero, generalmente rojo o amarillo, es un chile muy picante que suele confundirse con el poco conocido scotch bonnet, que también tiene forma de farolillo. A pesar de su intensidad de picante, tiene un matiz afrutado que combina especialmente bien con frutas y tomates. Úselo con mucha moderación y tenga cuidado al manipularlo. Si lo prefiere, use chiles más suaves.

⊕ *Resulta excelente con pescado o pollo a la parrilla.*

Para preparar 150 ml

1 cebolla roja picada
3 tomates en rama maduros pelados, sin las semillas y picados
1 chile habanero (u otro chile rojo) sin las semillas y picados
100 ml de zumo de naranja agria o mitad y mitad de zumo de lima y de naranja recién exprimido
sal

1 Mezcle todos los ingredientes en un cuenco con sal al gusto y deje reposar 30 minutos para que se potencien los sabores.

Consejo: las naranjas amargas están disponibles durante un breve período, en invierno, pero a veces pueden encontrarse en otras épocas en tiendas latinoamericanas de ultramarinos. Si no las encuentra, use naranjas normales, pero añada un poco de zumo de lima para conseguir el toque amargo.

मोयाबसस्टेण्ड.बड़ी
सीमेन्ट
गिट्टी
रेती पत्थर

ASIA

Las salsas asiáticas se suelen basar en unos pocos ingredientes sencillos y su preparación es rápida y fácil. En ese continente encontrará innumerables mojos en prácticamente todas las mesas, tanto en los hogares como en los restaurantes. Suponen un acompañamiento excelente para los alimentos que se toman con los dedos, como los rollitos de primavera crujientes y los *satays* (pinchitos de carne) especiados a la parrilla, o se vierten sobre exquisiteces locales como las ensaladas de marisco y pescado. Estas salsas pueden ser bastante fluidas, pero son muy especiadas y sabrosas. Son enormemente versátiles y se pueden usar para alegrar un sencillo plato de fideos o arroz y para lograr unas comidas diarias memorables. También son una bendición para el cocinero ocupado, ya que no necesitan cocción o apenas la requieren y suelen basarse en ingredientes que encontraremos en la despensa.

Algunas salsas asiáticas forman parte integral del plato y son un poco más complejas. Las salsas de curry tailandesas, malayas e hindúes requieren la preparación previa de una pasta de especias que se obtiene asando y majando especias y sustancias aromáticas; la pasta se mezcla con leche de coco o fondo y se usa para cocinar carne, pescado u hortalizas. No obstante, al igual que los mojos más sencillos, estas salsas para cocinar alimentos se caracterizan por tener unos sabores nítidos e intensos.

SALSA BALINESA DE SOJA OSCURA

Se trata de una salsa muy picante y salada que revitalizará el paladar, con notas de regaliz del *kecap manis*. ⊕ *Sírvala con* satays *(pinchitos de carne) o úsela como aliño para ensaladas de marisco.*

Para preparar 150 ml

½ diente de ajo pelado
3 c/s de aceite vegetal
1 c/p de hierba limonera picada fina
2 cebolletas picadas finas
4 c/s de *kecap manis* (salsa indonesia de soja)
1 guindilla roja picante picada fina
1 c/p de vinagre blanco destilado

1 Maje el ajo en un mortero para obtener una pasta.
2 Caliente el aceite en una sartén pequeña, añada el ajo majado, sofríalo durante 1-2 segundos y páselo a un cuenco pequeño.
3 Agregue los restantes ingredientes y deje reposar 15 minutos para que se potencien los sabores.

Consejo: el *kecap manis* es una salsa de soja dulce, con un sabor parecido al del regaliz. Se usa mucho en la cocina indonesa como aliño o condimento. Si no la puede encontrar, reduzca en un cazo las mismas cantidades de salsa de soja ligera y de melaza con una buena pizca de anís estrellado molido hasta que haya espesado ligeramente.

SALSA *SRIRACHA*

Sriracha es el nombre genérico de la salsa picante presente en todas las mesas del sudeste asiático. Al igual que muchas salsas de esta región, tiene un perfecto equilibrio de dulce y picante.

Aunque su andadura se inició en un puerto tailandés llamado Sri Racha, la conocí en California, en puestos de perritos calientes y de tacos mexicanos, servida como si fuera ketchup; constituía un acompañamiento perfecto. Tiene tal popularidad que se dispone de marcas comerciales, aunque es muy fácil prepararla, y lo mejor es que haga la suya propia. ⊕ *Aporta un toque cálido a los mariscos como las ostras y las almejas.*

Para preparar 350 ml

175 g de guindillas rojas picantes picadas
1 c/s de concentrado de tomate
125 ml de vinagre blanco destilado
75 g de azúcar
6 dientes de ajo majados
200 g de tomates en conserva

1 Introduzca las guindillas y el concentrado de tomate en una cacerola con el vinagre y el azúcar y lleve a ebullición.
2 Añada el ajo y los tomates y cocínelos durante 10 minutos.
3 Triture la mezcla en una batidora hasta que quede homogénea. Déjela enfriar antes de servirla. Puede conservarla 1 mes en el frigorífico, en un tarro hermético.

Variante

SALSA CÓCTEL

Mezcle 2 c/s de salsa *sriracha* con 4 c/s de mayonesa y úsela a modo de gran salsa de estilo asiático para los cócteles de gambas, o sírvala con calamares fritos.

NAM *PRIK PHAO*

(Salsa de guindillas asadas)

En Tailandia, esta salsa aromática y picante es el acompañamiento perfecto para muchos platos; incorporada en arroz frito con hortalizas o marisco o, de la forma en que me gusta a mí: pincelada sobre pescado o marisco.

Para preparar 300 ml

100 ml de aceite vegetal
4 chalotas laminadas
4 dientes de ajo majados
8 guindillas rojas pequeñas secas
1 c/s de pasta de gambas secas
1 c/s de azúcar de palma o moreno (opcional)
3 c/s de *nam pla* (salsa tailandesa de pescado)
2 c/s de pasta de tamarindo
sal

1 Caliente el aceite en un wok y añada las chalotas y el ajo. Dórelos ligeramente, retírelos con una espumadera e introdúzcalos en una batidora.
2 Añada las guindillas y la pasta de gambas al wok o la sartén y fría durante 1 minuto. Retire los ingredientes con una espumadera e introdúzcalos en la batidora, reservando el aceite en el wok.
3 Agregue el azúcar y triture. Añada el *nam pla*, el tamarindo, un poco de sal y el aceite reservado en el wok, y triture para obtener un puré bien mezclado.
4 Pase la salsa a un cuenco y déjela enfriar. Sírvala fría. Puede conservarla 3 meses en el frigorífico.

Consejo: un comentario sobre la salsa de pescado. No se asuste por su fuerte aroma. Una vez incorporada en una salsa, aliño o curry, es mucho menos intensa, bastante adictiva y una alternativa saludable a la sal. La vietnamita (*nuoc mam*) y la tailandesa (*nam pla*), elaboradas con anchoas, langostinos o calamares fermentados, son las mejores,

–2 LINEES

MEJILLONES SALTEADOS CON SALSA PICANTE DE GUINDILLA

Para 4 personas

2 c/s de aceite vegetal
2 dientes de ajo majados
2 c/s de nam *prik phao* (*véase* izquierda)
1 kg de mejillones frescos, limpios y sin el biso
2 c/s de *nam pla* (salsa tailandesa de pescado)
100 ml de salsa de ostras
2 chiles rojos grandes laminados
12 hojas de albahaca dulce tailandesa
150 ml de fondo de ave (*véase* pág. 9)
una pizca de azúcar al gusto

1 Caliente el aceite en un wok o una sartén grande, añada el ajo y el *nam prik phao* y cocínelos durante 30 segundos.
2 Agregue los mejillones enteros y saltéelos 1 minuto en la salsa.
3 Añada los restantes ingredientes y cocínelos durante 2-3 minutos más.
4 Distribúyalos en 4 cuencos y sírvalos con arroz hervido.

Consejo: cuando cocine moluscos de cualquier tipo, asegúrese de que estén cerrados. Cualquiera con la concha abierta estará muerto y puede provocar una toxiinfección alimentaria. Una vez cocinados, los que no se hayan abierto también estarán muertos; deséchelos.

MOJO TAILANDÉS

⊕ *Tradicionalmente, se sirve con aperitivos tailandeses, como* satays *(pinchitos de carne), rollitos de primavera y pastelitos picantes de pescado.*

Para preparar 300 ml

4 c/s de vinagre blanco destilado
120 g de azúcar
120 ml de agua
1 c/s de *nam pla* (salsa tailandesa de pescado)
1 guindilla roja pequeña laminada
un trozo de 1,5 cm de jengibre fresco pelado y picado fino (opcional)
100 g de pepino cortado en daditos
2 c/s de cacahuetes tostados picados

1 Ponga el vinagre, el azúcar, el agua, el *nam pla*, la guindilla y el jengibre (si lo usa) en una cacerola y lleve a ebullición.
2 Cueza durante 15 minutos a fuego lento sin tapar o hasta que haya espesado ligeramente.
3 Incorpore el pepino y los cacahuetes y sirva a temperatura ambiente.

MOJO DE GUINDILLA Y VINAGRE

Se trata, básicamente, de un condimento ácido que anima cualquier plato. ⊕ *Me gusta, especialmente, disfrutarla con fideos salteados o platos de arroz.*

Para preparar 150 ml

2 guindillas rojas picantes laminadas
100 ml de vinagre blanco destilado
2 c/p de *nam pla* (salsa tailandesa de pescado)

1 Mezcle los ingredientes en un cuenco y déjelos reposar 15 minutos para que los sabores se potencien. Este mojo se conservará 2 semanas en el frigorífico, en un recipiente cerrado herméticamente.

NAM PRIK NOOM

(Mojo de guindillas verdes)

Se trata de un mojo muy picante que se sirve con arroz glutinoso u hortalizas a la parrilla. El chamuscado de los ingredientes en una barbacoa mejora el sabor, aunque conseguiremos un resultado aceptable con una parrilla.

Para preparar 300 ml

6 dientes de ajo
6 guindillas verdes
100 g de chalotas alargadas peladas y cortadas longitudinalmente por la mitad
4 tomates maduros, pero firmes, sin las semillas y cortados en dados
100 ml de aceite vegetal
2 c/s de *nam pla* (salsa tailandesa de pescado)
el zumo de 2 limas
2 c/s de cilantro picado
una pizca de sal generosa

1 Caliente una parrilla sin aceite a fuego fuerte y añada el ajo, las guindillas y las chalotas. Tuéstelos durante 4-5 minutos, sin dejar de remover, hasta que desprendan sus aromas y déjalos enfriar antes de cortarlos en trocitos.
2 Páselos a un mortero, junto con los tomates. Májelos con una mano de mortero hasta obtener una pasta.
3 Añada el aceite, el *nam pla*, el zumo de lima, el cilantro y el azúcar y mézclelos bien.

NUOC MAM CHAM

(Mojo vietnamita)

En Vietnam, ninguna comida se considera completa si no la acompaña esta salsa. Se usa con la misma normalidad que la sal y la pimienta. Podemos encontrar innumerables variantes en toda Asia, Malasia, Camboya y Tailandia. ⊕ *Como todos los mojos de estilo asiático, éste es delicioso con carne, pescado, hortalizas a la parrilla y rollitos de primavera crujientes.*

Para preparar 200 ml

125 ml de agua o de leche de coco
2 c/s de vinagre de vino de arroz
2 c/s de azúcar de palma o azúcar lustre
2 dientes de ajo majados
4 guindillas rojas tailandesas (preferiblemente de la variedad «ojo de pájaro») picadas finas
1 c/p de zumo de lima o de limón
2 c/s de *nuoc mam* (salsa vietnamita de pescado)

1 Vierta el agua o la leche de coco en un cazo junto con el vinagre y el azúcar y lleve a ebullición. Retire del fuego y deje enfriar.
2 Añada el ajo, las guindillas y el zumo de lima o de limón e incorpore el *nuoc mam*.

Variantes

Agregue uno de los siguientes ingredientes a la salsa básica: rábanos o zanahorias rallados, zanahorias encurtidas, cilantro picado, un poco de jengibre fresco picado o hierba limonera picada.

NUOC LEO

Esta salsa es prima hermana del *mam cham*: úsela de la misma forma. Vierta 1 c/s de *nuoc mam cham* (*véase* superior) en un cuenco y añada 4 c/s de salsa *hoisin*, 3 c/s de agua, 1 c/s de salsa dulce de guindilla (*véase* pág. 146) y 2 c/s de cacahuetes tostados molidos finos. Mézclelo bien.

NAM *JIM*

(Salsa de guindilla verde y cilantro)

Se trata de un maravilloso aliño, sencillo y adictivo, uno de los componentes básicos de la cocina tailandesa, y supone una forma excelente de aprender el equilibrio de sabores en esta cocina. Hay muchas variantes, pero los elementos clave siguen siendo los mismos: picante, amargo, salado y dulce, que aquí aparecen ejemplificados por las guindillas, el ajo, el zumo de lima, la salsa de pescado y el azúcar de palma, que son sellos de marca de la cocina de este país. Esta receta se prepara con raíces de cilantro, pero si no las encuentra, use las hojas. ⊕ *Es excelente para dar vida a las ensaladas, como mi ensalada con papada de cerdo a la parrilla con hinojo, en la página siguiente.*

Para preparar 200 ml

1 c/s de sal marina
3 dientes de ajo
3 chalotas picadas
un buen manojo de hojas de cilantro, más las raíces raspadas y limpias
4 guindillas verdes picantes pequeñas sin las semillas y picadas
3 c/s de azúcar de palma o azúcar moreno
3 c/s de *nam pla* (salsa tailandesa de pescado)
el zumo de 8 limas

1 Maje la sal, el ajo, las chalotas, y las hojas y las raíces de cilantro en un mortero.
2 Añada las guindillas y el azúcar, vuelva a majar y retire la mezcla a un cuenco.
3 Agregue el *nam pla* y el zumo de lima y mezcle bien. El aliño debería ser picante, dulce, amargo y salado. Añada más azúcar de caña para que sea más dulce, o más *nam pla* para que resulte más salado.

Variantes

Reemplace las guindillas verdes por guindillas rojas (por ejemplo, guindilla lombok holandesa o tailandesa, que es más suave) para obtener una versión algo menos picante.

ALIÑO TAILANDÉS DULCE

Añada 2 c/s de salsa dulce de guindilla (*véase* pág. 146) a la receta básica. Acompaña estupendamente la ternera a la parrilla y la ensalada de calamares.

PAPADA DE CERDO A LA PARRILLA CON ENSALADA DE HINOJO

Para 4 personas

una pieza de papada de cerdo de 450 g sin grasa ni tendones
3 c/s de salsa de ostras
2 bulbos de hinojo grandes sin la capa externa
2 c/s de aceite de oliva
2 chalotas grandes laminadas finas
4 c/s de *nam jim* (*véase* página anterior)
15 g de hojas pequeñas de menta
2 c/s de cacahuetes picados gruesos

1 Disponga la carne de cerdo en una rejilla para cocinar al vapor colocada sobre una cacerola tapada y con agua justo por debajo del punto de ebullición y cocínela 40 minutos, hasta que esté hecha. Pásela a una tabla y córtela en dados de 1,5 cm.
2 Introduzca la carne de cerdo en un cuenco o un plato llano y añada la salsa de ostras. Mezcle bien y déjela 1 hora en adobo.
3 Mientras, lamine el hinojo muy fino con una mandolina y póngalo en agua helada.
4 Ponga una parrilla al fuego hasta que esté muy caliente y pincélela con el aceite. Escurra los pedazos de cerdo en adobo y dispóngalos sobre la parrilla. Cocínelos durante 2-3 minutos por cada lado hasta que estén ligeramente dorados.
5 Escurra y seque el hinojo e introdúzcalo en un cuenco con las chalotas. Añada el *nam jim* y dé la vuelta para que todo quede bien mezclado.
6 Añada el cerdo a la parrilla, remueva para mezclar y distribuya la mezcla en 4 platos.
7 Esparza por encima las hojas de menta y los cacahuetes y sirva de inmediato.

MOJO DE TOMATES Y AJOS ASADOS

En Laos, muchas salsas contienen ajo, tomate y pimientos y se condimentan con hierbas aromáticas frescas, como albahaca, cilantro y menta.

Para preparar 200 ml

4 dientes de ajo grandes sin pelar
3 guindillas rojas cortadas por la mitad longitudinalmente
4 tomates maduros, pero firmes, cortados por la mitad
1 pimiento rojo pequeño cortado por la mitad y sin las semillas
2 c/s de aceite vegetal
2 c/s de *nam pla* (salsa tailandesa de pescado)
4 c/s de cilantro picado
2 cebolletas picadas finas
2 c/s de menta picada
el zumo de ½ lima

1 Precaliente el horno a 200 °C. Ponga el ajo, las guindillas, los tomates y el pimiento en una bandeja refractaria o una rustidera y vierta el aceite por encima.
2 Hornéelos durante 20 minutos, déles la vuelta y vuelva a hornearlos 20 minutos más. Retírelos del horno y déjelos enfriar.
3 Cuando estén fríos, retire la piel de los ajos e introdúzcalos en un mortero, junto con las guindillas y los pimientos asados. Májelos hasta obtener una pasta gruesa.
4 Pele los tomates, píquelos, añádalos a la mezcla y maje hasta obtener una pasta.
5 Añada los restantes ingredientes, mézclelos bien y sirva.

Consejo: esta salsa no puede prepararse con mucha antelación, ya que su base es la frescura de los ingredientes recién asados. Para obtener los mejores resultados prepárela algunas horas antes de usarla.

MOJO DE TOMATE Y AJO ASADOS

Esta salsa me gusta especialmente con langostinos al vapor o pescado asado envuelto en hojas de platanera o, durante la canícula estival, cocinado a la barbacoa.

SALSA ESPECIADA DE FRUTAS DE LAS ISLAS CON CACAHUETES

Es un mojo excelente para las *crudités* y el pescado o la carne a la parrilla. Es fácil de preparar. A veces, la salsa se tritura, aunque la prefiero tal cual, con el sabor de cada ingrediente. ⊕ *Sírvalo con pan de gamba; resulta insuperable.*

Para preparar 300 ml

1 c/s de aceite vegetal
4 cebolletas picadas finas
1 mango maduro pelado y cortado en dados
1 hoja de lima kaffir
el zumo de 2 limas
100 g de piña fresca o en conserva cortada en dados
1 c/s de azúcar de palma
75 g de cacahuetes sin sal tostados y picados
3 c/s de hojas de cilantro picadas
1 c/p de *sambal oelek* (*véase* pág. 148)

1 Mezcle todos los ingredientes en un cuenco; si prefiere una salsa más picante,.añada un poco más de *sambal oelek*.

SALSA DE CIRUELAS CLAUDIAS

La salsa de ciruelas claudias es otro mojo tailandés que se suele tomar con alimentos fritos, como los pastelillos de gambas fritos. Las ciruelas claudias tienen una temporada muy breve, así que disfrútelas mientras pueda.

Para preparar 200 ml

200 g de ciruelas claudias deshuesadas y picadas
1 cebolla picada
3 guindillas rojas pequeñas sin las semillas y picadas finas
un trozo de 2,5 cm de jengibre fresco pelado y picado
100 g de azúcar
100 ml de vinagre blanco destilado
200 ml de agua
el zumo de 2 limas
una pizca de sal marina

1 Introduzca todos los ingredientes en una cacerola y lleve a ebullición a fuego lento. Baje el fuego un poco y cueza hasta que las ciruelas adquieran una consistencia parecida a la de la mermelada.
2 Deje enfriar y sirva a temperatura ambiente.

RAITA

La *raita* es una salsa calmante a base de yogur que es ideal para atemperar platos picantes, como los currys. ⊕ *En la India acompaña a casi cada plato.*

Para preparar 200 ml

200 g de pepino
½ c/p de sal marina
150 ml de yogur natural espeso
½ c/p de azúcar
2 c/s de menta picada gruesa
una pizca de comino molido

1 Ralle el pepino en un cuenco, añada la sal y mezcle bien. Extienda el pepino sobre un paño de cocina limpio, enróllelo y presione para eliminar el exceso de humedad.
2 Introduzca el pepino en un cuenco y añada el yogur, el azúcar, la menta y el comino. Mezcle bien y refrigere hasta el momento de servirla.

Variantes

RAITA DE MANGO Y TOMATE

Reemplace el pepino por 1 tomate maduro y firme y 1 mango pequeño, cortados en daditos.

RAITA DE COCO Y JENGIBRE

Añada a la receta básica de *raita* un trozo de 2,5 cm de jengibre fresco rallado y 2 c/s de coco deshidratado sin azúcar.

RAITA DE CILANTRO Y GUINDILLAS VERDES

Omita el pepino de la receta principal y reemplace la menta por cilantro fresco y 2 guindillas verdes pequeñas picadas finas. Es realmente sabrosa con carnes a la parrilla, especialmente hamburguesas.

RAITA DE GRANADA

Omita el pepino de la receta principal e incorpore las semillas de 1 granada. Es un mojo excelente y refrescante para los meses estivales.

RAITA DE ESPINACAS

Blanquee 150 g de hojas de espinacas tiernas durante 30 segundos en agua hirviendo y póngalas rápidamente en agua helada. Escurra el exceso de agua. Fría las espinacas con un poco de aceite, ½ diente de ajo y 1 c/p de semillas de comino, déjelas enfriar y píquelas finas. Añada 200 ml de yogur, 2 c/s de menta picada y un chorrito de limón.

PASTELILLOS DE GARBANZOS CON *RAITA* DE ESPINACAS

⊕ *Me encantan estos pastelillos, ya sea con* raita*, como con pan* pitta *tostado y caliente.*

Para 4 personas

500 g de garbanzos cocidos
3 huevos de gallinas camperas
2 cebolletas pulidas y picadas finas
3 c/s de *tahini* (pasta de semillas de sésamo)
1 cebolla pequeña picada fina
½ diente de ajo majado
2 c/s de aceite de oliva
75 g de miga de plan blanco fresco
3 c/s de cilantro picado
sal y pimienta negra recién molida
200 ml de *raita* de espinacas (*véase* izquierda)

1 Introduzca los garbanzos, los huevos, las cebolletas y el *tahini* en una batidora y tritúrelos. Pase la mezcla a un cuenco.
2 Rehogue las cebollas y el ajo con la mitad del aceite hasta que queden tiernos. Añada las cebollas al cuenco junto con la miga de pan y el cilantro. Salpimiente al gusto y mezcle bien.
3 Con las manos, forme 8 pastelillos iguales, introdúzcalos en el frigorífico 1 hora para que queden más firmes antes de cocinarlos.
4 Caliente el aceite restante en una sartén antiadherente grande. Cocine 4 pastelillos cada vez durante 4-5 minutos. Retírelos y consérvelos calientes mientras fríe los otros 4 pastelillos. Sírvalos de inmediato con la *raita* de espinacas.

CHUTNEY DE CILANTRO

Este *chutney* básico de estilo hindú puede prepararse crudo o cocinado: incluyo ambas versiones. ⊕ *De cualquiera de las dos formas es un excelente mojo para servir con costillas de cordero, samosas picantes y crujientes o* poppadoms.

Para el *chutney* crudo
Para preparar 200 ml

100 g de cilantro lavado y con los tallos
2 chiles verdes picantes picados
un trozo de 2,5 cm de jengibre fresco pelado y rallado
2 dientes de ajo
½ c/p de comino molido
el zumo de ½ limón
½ c/p de sal
½ c/p de azúcar
50 ml de leche de coco o yogur natural

1 Introduzca todos los ingredientes, excepto la leche de coco o el yogur, en una batidora y tritúrelos hasta obtener un puré grueso.
2 Añada la leche de coco o el yogur y vuelva a triturar hasta que quede homogéneo. Páselo a un tarro o a un cuenco tapado y refrigérelo. Se conservará durante 2-3 días en el frigorífico.

Para el *chutney* cocinado
Para preparar 200 ml

100 ml de aceite vegetal
2 chiles verdes picantes picados
100 g de cilantro lavado y con los tallos
sal
75 ml de agua
½ c/p de semillas de mostaza negra
½ c/p de comino molido
2 c/s de *urad dhal* (lentejas negras)
4 hojas de árbol del curry

1 Caliente la mitad del aceite en una sartén, añada las guindillas y el cilantro y fríalos 30 segundos. Retírelos del fuego y déjelos enfiar.
2 Cuando estén fríos, páselos a una batidora pequeña junto con un poco de sal y el agua y tritúrelos hasta obtener una pasta.
3 Caliente el aceite restante en una sartén y añada las semillas de mostaza, el comino y el *urad dhal*. Cuando empiecen a chisporrotear, agregue las hojas del árbol del curry, junto con la mezcla de guindilla y cilantro y cocínelo todo 10-20 segundos, simplemente para que se desarrollen los sabores.
4 Páselo todo a la batidora y tritúrelo hasta que quede homogéneo. Déjelo enfriar antes de servirlo. Se conservará 2-3 días en el frigorífico en un tarro cerrado herméticamente.

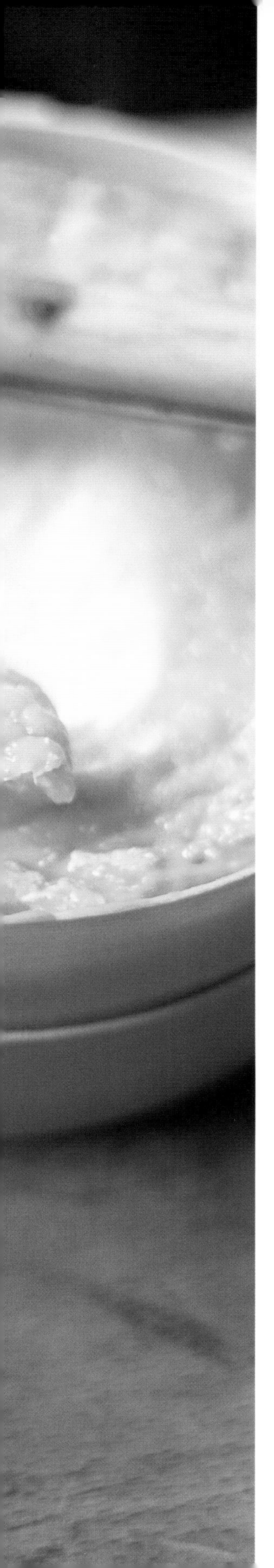

BLATJANG

(Salsa *chutney* de frutas pasas)

El *blatjang* es como un *chutney*, pero con una textura más fina. ⊕ *Combina muy bien con carnes frías, aunque me gusta muchísimo con queso, especialmente con un Époisse (un queso francés de corteza lavada) o con un Stilton (queso inglés cremoso azul).*

Para preparar 1 l

400 g de frutas pasas variadas (higos, albaricoques y pera) dejadas en remojo en agua hasta que se ablanden
75 g de pasas
1 cebolla picada fina
1 guindilla roja picante picada fina (o más cantidad, si lo prefiere)
2 dientes de ajo majados
750 ml de agua
1 c/s de jengibre molido
½ c/s de cilantro molido
½ c/p de canela molida
50 ml de vinagre blanco destilado
100 g de azúcar moreno blando
sal y una pizca de pimiento de cayena

1 Corte las frutas pasas en trocitos de alrededor de 1 cm.
2 Introduzca todos los ingredientes en una cacerola de base gruesa y lleve a ebullición a fuego fuerte.
3 Baje el fuego y cueza de 45 minutos a 1 hora a fuego lento sin tapar hasta que las frutas queden espesas, con la textura de un jarabe y adquieran la textura de una pulpa. Añada un poco más de agua durante el proceso de cocción si la salsa resulta demasiado espesa.

SALSA DULCE DE GUINDILLA

Esta salsa tailandesa tiene un sabor maravilloso y singular; es intensamente espesa y dulce y contiene mucho ajo.

Para preparar 300 ml

8 guindillas tailandesas de la variedad «ojo de pájaro»: la mitad de ellas trituradas en una batidora y el resto picadas finas
100 ml de agua caliente
225 g de azúcar
100 ml de vinagre blanco destilado
6 dientes de ajo grandes
1 c/p de sal
1 c/s de *nam pla* (salsa tailandesa de pescado)
el zumo de 1 lima pequeña

1 Introduzca las guindillas en una cacerola, vierta el agua caliente y déjelas así 20 minutos.
2 Una vez ablandadas, caliente las guindillas en el agua del remojo y añada el azúcar, el vinagre, el ajo y la sal y lleve a ebullición.
3 Cueza de 12-15 minutos a fuego lento, hasta que adquiera una textura como la del jarabe.
4 Incorpore el *nam pla* y el zumo de lima y deje enfriar a temperatura ambiente. Puede conservar la salsa 1 mes a temperatura ambiente.

Variante

KERABU DE MANGO

Para obtener una variante de estilo malayo, que podrá servir como plato de acompañamiento con arroz frito, añada un mango pequeño cortado en daditos y 2 c/s de cilantro picado y otras tantas de menta picada a 4 c/s de la salsa dulce de guindilla.

Consejo: si desea una salsa más espesa, agregue 1 c/p de harina de maíz mezclada con 1 c/s de agua a la salsa ya acabada. Me encanta esta salsa; la uso como si fuera ketchup. También es deliciosa si añade un par de cucharadas de mayonesa junto con un poco de jengibre fresco rallado.

SAMBAL DE TOMATE Y COCO

La salsa *sambal* se degusta en la India y muchos países del sur de Asia y del Pacífico. En Sri Lanka, los *sambal* son algo más suaves, ya que contienen leche de coco, mientras que los más orientales son mucho más picantes. ⊕ *Esta versión se sirve caliente y es deliciosa con pescado a la parrilla, especialmente sobre un lecho de arroz jazmín cocido al vapor con canela.*

Para preparar 350 ml

2 c/s de aceite vegetal
1 chalota laminada fina
2 guindillas verdes picadas finas (o laminadas, si usa una variedad de guindilla más fina)
un trozo de 2,5 cm de jengibre fresco pelado y rallado
1 diente de ajo majado
2 c/p de curry suave en polvo
6 hojas de árbol del curry
200 g de tomates cherry
100 ml de crema de coco
el zumo de 2 limas
10 hojas de albahaca tailandesa dulce
sal

1 Caliente el aceite en un wok o una sartén y añada la chalota, las guindillas, el jengibre y el ajo. Cocínelos durante 4-5 minutos a fuego lento.
2 Añada el curry en polvo, las hojas de árbol del curry y los tomates y cocine 2-3 minutos.
3 Vierta la crema de coco y el zumo de lima y cocine 5 minutos más.
4 Incorpore la albahaca, rectifique el punto de sazón y sirva.

SAMBAL OELEK

Esta salsa de inspiración indonesia con guindillas es, a los platos asiáticos, lo que la salsa *harissa* es a la cocina marroquí: una cucharadita aporta un toque picante y alegra una comida en un santiamén.

⊕ *Sírvala con carne o añádala a sofritos y arroz frito. Normalmente añado un poco a una base de pizza y coloco encima pollo a la barbacoa.*

Para preparar 200 ml

2 dientes de ajo majados
½ c/p de pasta de gambas secas (*terasi* o *blachan*)
1 c/p de sal
4 guindillas rojas grandes picadas
1 c/p de azúcar
2 limas peladas y cortadas en trocitos
4 c/s de agua caliente
1 c/s de vinagre de vino de arroz
100 ml de *nam pla* (salsa tailandesa de pescado)
2 c/s de hojas de albahaca dulce tailandesa

1 Maje el ajo, la pasta de gambas, la sal y las guindillas hasta obtener una pasta gruesa.
2 Añada el azúcar, las limas, el agua, el vinagre y el *nam pla* y maje (o triture) hasta obtener una pasta espesa. Agregue las hojas de albahaca dulce y vuelva a majar. Puede conservar la salsa 1 mes en el frigorífico, en un envase cerrado herméticamente.

Variantes

SAMBAL CON TOMATE

Esta salsa, originaria de Bali, es excelente con pescado a la barbacoa. Añada 20 g de tomates picados finos a la receta básica.

SAMBAL CON HIERBA LIMONERA Y CHALOTAS

Añada 4 tallos de hierba limonera picados muy finos (eliminando la corteza externa) y 2 chalotas picadas a la receta básica.

SOPA INDONESIA DE BONIATO

El dulzor natural del boniato lo convierte en una hortaliza perfecta para esta sopa inspirada en la cocina asiática.

Para 4 personas

1 l de un buen fondo de ave (*véase* pág. 9)
4 ramitas picadas de hierba limonera sin la corteza externa
200 ml de *sambal oelek* (*véase* izquierda)
20 g de hojas y tallos de cilantro separados
un trozo de 5 cm de *galanga* o de jengibre fresco pelado y picado
2 boniatos pelados y cortados en trocitos
150 ml de leche de coco
1 c/s de *nam pla* (salsa tailandesa de pescado)

1 Vierta el fondo de ave, la hierba limonera, el *sambal oelek* y los tallos de cilantro en una cacerola y lleve a ebullición. Baje el fuego al mínimo y cocine durante 10 minutos.
2 Añada a la cacerola la *galanga* o el jengibre y los boniatos y cuézalos 15 minutos a fuego lento o hasta que estén muy tiernos. Retire del fuego y deje que se enfríe un poco.
3 Páselo a una batidora, tritúrelo hasta que quede homogéneo y cuélelo en una cacerola limpia.
4 Añada la leche de coco y el *nam pla* y cueza 5 minutos a fuego lento. Incorpore las hojas de cilantro.

ACHIN

(Salsa de pescado con ajo y jengibre)

La cocina birmana refleja las influencias de los países vecinos, y especialmente de los de mayor tamaño: la India y China. Se pueden apreciar las influencias hindúes por el uso del tamarindo, y las chinas por la abundancia de jengibre, ajo y salsa de soja. ⊕ *Probé esta salsa hace poco, mientras estaba en la frontera entre Tailandia y Birmania, donde la sirvieron con una crujiente tempura de hortalizas.*

Para preparar 150 ml

2 dientes de ajo pelados y picados
un trozo de 2,5 cm de jengibre pelado y picado
4 c/s de pasta de tamarindo
4 c/s de miel
1 c/p de azúcar
1 c/s de salsa de soja
2 c/p de *nam pla* (salsa tailandesa de pescado)
1 pimiento rojo pequeño picado
una pizca de sal y otra de pimentón

1 Maje el ajo y el jengibre en un mortero (o una batidora) hasta obtener una pasta fina y pásela a un cuenco.

2 Añada los ingredientes restantes y remueva para obtener una salsa homogénea. Puede conservarla 7 días en el frigorífico, en un recipiente cerrado herméticamente.

ALIÑO ASIÁTICO DE JENGIBRE

⊕ *Se trata de un fabuloso aliño para el pescado o el marisco cocido al vapor, y también es delicioso para las ensaladas asiáticas de hortalizas.*

Para preparar 150 ml

2 c/s de *nam pla* (salsa tailandesa de pescado)
2 c/s de agua
2 c/s de vinagre de vino de arroz
2 c/s de salsa de soja ligera
2 c/p de azúcar
10 hojas de menta fresca
1 chalota picada fina
un trozo de 2,5 cm de jengibre pelado y rallado
sal y pimienta negra recién molida

1 Mezcle todos los ingredientes en un cuenco con sal y pimienta al gusto y deje reposar 1 hora para que los sabores se potencien. Se conservará durante 1-2 días en el frigorífico.

SALSA DE CURRY TAILANDESA

Hay algunas pastas de curry rojas y verdes de calidad aceptable en el mercado, aunque no tienen ni punto de comparación con las caseras.

Las auténticas salsas tailandesas se elaboran preparando primero una pasta de especias, ya sea roja (con guindillas rojas secas) o verde (con guindillas verdes frescas). La verde es más picante y de sabor más amargo que la roja, pero las dos son deliciosas.

La *galanga*, con su aspecto irregular y su sabor y aroma similar al alcanfor, se parece al jengibre, pero aporta un sabor distinto a la salsa. Puede adquirirla en colmados asiáticos, aunque el jengibre fresco es un sustitutivo aceptable. La pasta se conservará bien 2 meses en el frigorífico.

Para preparar 750 ml

Para la pasta de curry roja

1 c/s de semillas de cilantro
1 c/s de semillas de comino
10 guindillas rojas secas (o frescas)
1 c/p de pasta de gambas (*terasi* o *blachan*)
3 chalotas picadas
2,5 cm de *galanga* o jengibre fresco picado
3 tallos de hierba limonera, sin la corteza externa, picados finos
4 hojas de lima kaffir cortadas
la ralladura de 1 lima
2 c/s de tallos u hojas de cilantro picados

1 Ponga una sartén de base gruesa a fuego fuerte, añada las semillas de cilantro y las de comino y dórelas; vaya removiendo constantemente.
2 Páselas a un mortero o a una batidora, agregue los restantes ingredientes y maje o triture hasta obtener una pasta fina. Si usa una batidora, quizás tenga que raspar las paredes del vaso durante el proceso de triturado.

Para la salsa de curry

1 c/s de aceite vegetal
400 ml de crema de coco sin azúcar en conserva
2 c/s de pasta de curry roja o verde (*véase* izquierda y superior)
800 ml leche de coco sin azúcar en conserva
2 c/s de *nam pla* (sala tailandsa de pescado)
4 hojas de lima kaffir cortadas

1 Caliente el aceite en una cacerola de base gruesa, añada la crema de coco y cuézala durante 15-20 minutos hasta que se corte.
2 Añada la pasta de curry, cocine durante 10 minutos, agregue la leche de coco, el nam pla y las hojas de lima kaffir y cueza 20 minutos a fuego bajo. La salsa ya está lista para usarla en la receta que prefiera.

Variante

PARA LA PASTA DE CURRY VERDE

Reemplace las guindillas rojas por la misma cantidad de guindillas verdes «ojo de pájaro» y proceda de la misma forma que para la pasta roja.

PASTA DE CURRY CON HIERBA LIMONERA

Para obtener una salsa de curry con hierba limonera (originaria de la vecina Camboya), añada 6 tallos de hierba limonera picados finos, una pizca de cúrcuma y 1 c/s de pasta de gambas secas a la salsa de curry verde básica mientras se cuece.

CURRY CON BERENJENAS ENANAS, JUDÍAS VERDES Y HABAS A LA MENTA

Las berenjenas enanas son una variedad asiática de esta hortaliza. Su tamaño es similar al de una uva grande. Son muy amargas y aportan un toque agrio y un sabor astringente al curry.

Para 4 personas

150 g de judías verdes
2 c/s de aceite vegetal o de cacahuete
4 guindillas verdes laminadas finas
un trozo de 5 cm de jengibre fresco pelado y laminado fino
225 g de berenjenas enanas (*véase* pág. anterior)
600 ml de salsa de curry verde tailandesa (*véase* pág. 150)
125 g de habas sin las vainas (frescas o congeladas)
4 tomates maduros y firmes picados
1 c/s de pasta de tamarindo
50 g de hojas pequeñas de menta fresca
arroz jazmín o basmati cocido al vapor, para servir

1 Blanquee las judías verdes 2-3 minutos en agua hirviendo con sal, enfríelas con agua fría y séquelas.
2 Caliente el aceite en un wok a fuego medio y añada las guindillas y el jengibre. Fríalos durante 2-3 minutos, hasta que queden ligeramente tiernos.
3 Añada las berenjenas enanas y la salsa de curry verde y cocine 5 minutos.
4 Agregue las judías verdes blanqueadas, las habas y los tomates y cocine 5-8 minutos más.
5 Incorpore el tamarindo y las hojas de menta y sirva sobre el arroz cocido al vapor.

SALSA DE TAMARINDO

El tamarindo, que procede de las vainas del árbol del tamarindo, es un agente amargante.

Para preparar 400 ml

un bloque de 150 g de pulpa de tamarindo picado
1 guindilla roja «ojo de pájaro» pequeña
2,5 cm de jengibre fresco pelado y picado fino
50 g de azúcar moreno blando o 2 c/s de miel
1 c/s de salsa de soja
1 diente de ajo majado

1 Introduzca la pulpa de tamarindo en un cuenco, vierta 300 ml de agua hirviendo y déjela en remojo durante 2 horas, o hasta que quede blanda. (Si tiene prisa, cueza el tamarindo y el agua 20 minutos a fuego lento en un cazo.)
2 Vierta la pulpa de tamarindo en un tamiz sobre una cacerola limpia y presiónela con una cuchara de madera.
3 Añada los restantes ingredientes y 150 ml de agua fría. Lleve a ebullición y cueza 5 minutos a fuego lento.
4 Deje enfriar y, en caso necesario, agregue un poco más de azúcar al gusto. Puede conservar esta salsa 4 días en el frigorífico o 3 meses en el congelador en un recipiente cerrado herméticamente.

Variantes

SALSA DE TAMARINDO Y NARANJA

Reemplace, en el paso 3, los 150 ml de agua fría por zumo de naranja y la ralladura de una naranja. Es ideal con pato asado.

SALSA DE TAMARINDO CON MENTA

Añada 2 c/s de salsa de menta (*véase* pág. 72) a la salsa acabada.

SALSA DE TAMARINDO CON KETCHUP

Mezcle la mitad de la salsa con la misma cantidad de ketchup y corone con 2 c/s de cilantro picado.

SALSA INDONESIA DE CACAHUETE

Las salsas de cacahuete se encuentran en muchas cocinas de Asia y del Pacífico. Se sirven con *satays* (pinchitos de carne) y con rollitos de primavera. En Indonesia, su sabor tiende a ser más picante que en los países situados más al este, ya que se añade un poco de pasta de curry.

Para preparar 400 ml

1 c/s de aceite vegetal
1 chalota picada fina
2 dientes de ajo majados
200 ml de leche de coco
2 c/p de pasta de curry rojo (*véase* pág. 150)
1 c/p de salsa de gambas secas (*terasi* o *blachan*, opcional)
2 c/p de azúcar
125 ml de agua
100 g de mantequilla de cacahuetes con tropezones
2 c/p de *kecap manis* (salsa de soja indonesia)
un chorrito de aceite picante con guindilla (opcional), para servir

1 Caliente el aceite en una cacerola de base gruesa y añada la chalota y el ajo. Cocínelos durante 4-5 minutos, hasta que queden tiernos.
2 Añada la leche de coco y lleve a ebullición. Incorpore la pasta de curry, la pasta de gambas (si la usa) y el azúcar.
3 Agregue el agua y la mantequilla de cacahuete, sin dejar de batir, con unas varillas, baje el fuego y añada el *kecap manis*. Cueza 1 minuto a fuego lento, pase la salsa a un plato y vierta por encima un poco de aceite con guindilla, si lo usa. Se conservará 3-4 días en el frigorífico, en un recipiente bien cerrado.

GADO GADO

La genialidad de esta ensalada indonesia de hortalizas se basa en su simplicidad. A veces incluye tofu. Si dispone de un cortador de huevos, úselo para obtener unas rodajas finas y uniformes.

Para 4 personas

1 c/s de *chutney* de mango
200 ml de salsa indonesia de cacahuete (*véase* izquierda)
200 g de patatas de platillo hervidas y enfriadas
2 zanahorias pequeñas cortadas en rodajas finas y ligeramente cocidas
50 g de judías verdes cocidas cortadas en trocitos
50 g de brotes de soja
¼ de pepino cortado longitudinalmente por la mitad y luego laminado
2 tomates cortados en cuartos
sal y pimienta negra recién molida
2 huevos duros cortados en rodajas finas
2 c/s de cacahuetes tostados picados gruesos

1 Incorpore, en un cuenco grande, el *chutney* de mango en la salsa de cacahuete. Añada las patatas, las zanahorias, las judías verdes, los brotes de soja, el pepino y los tomates. Salpimiente al gusto y mezcle bien.
2 Disponga un aro de acero inoxidable o un cortapastas de 7,5 cm sobre un plato. Llénelo con la ensalada y presiónela ligeramente para compactarla.
3 Retire el aro o el cortapastas, decore la parte superior con rodajas de huevo superpuestas y esparza cacahuetes por encima.
4 Repita el proceso con el cortapastas sobre otros 3 platos y sirva a temperatura ambiente.

Consejo: muchas tiendas de productos de cocina venden aros de acero inoxidable, pero si no los encuentra, una lata abierta por ambos extremos constituirá un molde excelente, que podrá usar en su cocina.

99
49

EL PACÍFICO

Este grupo de países, que se encuentran en el inmenso océano Pacífico, va desde Vietnam, China y Japón, hasta la costa oeste de Estados Unidos, y disfruta de gran diversidad culinaria. Las salsas japonesas tienden a ser muy concentradas, se sirven en pequeñas cantidades y están pensadas para resaltar el sabor de bocados exquisitos: tal vez, una fuerte salsa *wasabi* para acompañar el *sashimi*; o el *ponzu*, un mojo amargo elaborado con salsa de soja y *yuzu* (un cítrico oriental), que se sirve con el marisco frío (es especialmente delicioso con ostras). En China, las salsas son ligeras, aunque enfatizan los platos, y se basan en alimentos de sabor intenso, salados y fermentados, como la soja y las judías negras. El jengibre y el ajo refrescan el sabor. Esta ligereza también caracteriza a la cocina de la costa oeste de América. Con sus altibajos a lo largo de la historia, esta región ha absorbido las influencias culinarias de España, México, Italia y la población inmigrante china. Los alimentos saludables, como las ensaladas y los salteados, son los reyes, y las vinagretas y las marinadas suelen ocupar el lugar de otras salsas más calóricas y nutritivas.

ADOBO

El adobo es una variedad de marinada, y he tenido la gran suerte de probar distintos tipos en todo el mundo. Todos parecen tener sabores diferentes, pero en México, la característica principal es el sabor picante; en el sur de Asia tienen, además, un sabor ácido, aunque el chile suele ser el principal ingrediente.

El *annatto*, también conocido como *achiote*, que es el nombre del árbol del que procede, es una semilla marrón rojiza que se puede comprar entera o en polvo. Aporta un maravilloso color naranja y se usa ampliamente como colorante alimentario natural.

Para preparar 600 ml

1 c/s de aceite vegetal
4 guindillas rojas picantes picadas gruesas
3 dientes de ajo majados
2 c/s de concentrado de tomate
150 ml de vinagre de vino blanco
250 ml de fondo de ave (*véase* pág. 8)
1 hoja de laurel
2 c/s de semillas de cilantro majadas
1 c/p de *annatto* en polvo (o de semillas)
4 c/s de salsa de soja
½ c/p de granos de pimienta negra recién molidos
1 c/p de azúcar
sal

1 Caliente el aceite en una sartén, añada las guindillas y el ajo y cocine a fuego lento hasta que las guindillas estén ligeramente doradas y se levante la piel.

2 Añada el concentrado de tomate y cocine durante 3-4 minutos más.

3 Pase la mezcla a una batidora y añada los restantes ingredientes, excepto la sal. Triture hasta que quede lisa, vuelva a verterla en la sartén y cuézala 15-20 minutos a fuego lento.

4 Sazone al gusto. El sabor debe ser ligeramente dulce y amargo, con un toque salado. Se conservará varios días en el frigorífico, en un recipiente bien cerrado

TIRAS DE PANCETA DE CERDO EN ADOBO

(Para 4 personas)

Disponga 750 g de panceta de cerdo sin hueso cortada en tiras en un plato llano y vierta 300 ml de salsa de adobo por encima. Tape y deje 4 horas en adobo en el frigorífico. Caliente 2 c/s de aceite vegetal en un wok o en una sartén grande y fría los trozos de panceta adobada hasta que queden dorados. Añada el adobo al wok, tape y cocínelo 5 minutos, removiendo de vez en cuando, o hasta que la salsa se haya reducido ligeramente. Sirva la panceta en su salsa, junto con arroz basmati o jazmín cocido al vapor. También puede preparar este plato con trozos de pollo, en lugar de cerdo.

CHAR SUI

Cuando visito el barrio londinense del Soho, siempre me tomo el tiempo necesario para ir a los restaurantes chinos y, comprensiblemente, siempre compro y como demasiados bollos con *char sui*. Son celestiales: cerdo cocido al vapor en una masa esponjosa con esta salsa barbacoa dulce y pegajosa. También es excelente para la carne a la barbacoa, como la de cerdo o pollo.

Para preparar 300 ml

50 ml de jerez seco
100 ml de salsa hoisin (*véase* pág. 160: salsa *hoisin* casera)
50 ml de salsa de soja ligera
50 g de azúcar
4 dientes de ajo
1 c/s de pasta de judías negras
½ c/p de mezcla china de cinco especias en polvo (contiene hinojo, clavos de especia, canela, anís estrellado y pimienta de Sichuan)
2 chalotas picadas finas
sal

1 Introduzca todos los ingredientes, excepto la sal, en una cacerola y lleve a ebullición.
2 Baje el fuego y cueza a fuego lento, sin tapar, 10-12 minutos o hasta que esté espesa. Añada sal y pimienta al gusto y déjela enfriar por completo antes de usarla.

SALSA CHINA DE CACAHUETES

Es menos picante que la versión indonesia (*véase* pág. 153) ⊕ *Es excelente servida con rollitos de primavera o con* satays *(pinchitos de carne).*

Para preparar 300 ml

125 ml de fondo de ave (*véase* pág. 8)
4 c/s de mantequilla de cacahuete lisa o con tropezones o 100 g de cacahuetes tostados
2 c/s de salsa de soja ligera
2 dientes de ajo majados
1 c/s de vinagre de vino de arroz
3 c/p de azúcar
¼ c/p de chile en polvo
2 c/s de hojas de cilantro picadas

1 Vierta el fondo ave en una cacerola y lleve a ebullición. Añada la mantequilla de cacahuete o los cacahuetes, la salsa de soja y el ajo y cueza durante 2-3 minutos a fuego lento.
2 Páselo a una batidora y añada el vinagre, el azúcar, el chile en polvo y el cilantro.
3 Triture hasta obtener una pasta gruesa con la consistencia de una salsa.

SALSA JAPONESA DE SEMILLAS DE SÉSAMO TOSTADAS

Se trata de una salsa sumamente versátil, aunque la prefiero con arroz frito; aporta una explosión de sabor al instante. ⊕ *También es un mojo excelente y combina muy bien con la mayoría de las hortalizas, epecialmente con las judías verdes o el brécol.*

Para preparar 200 ml

120 g de semillas japonesas de sésamo blancas (*véase* el consejo)
1 c/s de aceite de sésamo
1 c/s de aceite vegetal
150 ml de *shoyu* (salsa japonesa de soja)
2 c/s de *mirin* (vino japonés dulce de arroz)
1 c/s de azúcar moreno
½ c/p de *dashi* (*véase* pág. 9) mezclado con 100 ml de agua tibia

1 Caliente una sartén o un wok sin aceite a fuego fuerte y, cuando empiece a humear, añada las semillas de sésamo y tuéstelas hasta que se doren, removiéndolas para evitar que se quemen. Páselas a un mortero.

2 Añada ambos tipos de aceite y maje las semillas con una mano de mortero hasta obtener una pasta.

3 Incorpore, sin dejar de remover, el *shoyu*, el *mirin*, el azúcar y la mezcla de *dashi* y agua; páselo todo a un cuenco y refrígerelo hasta que lo necesite. Es mejor consumir la salsa antes de 1-2 días.

Consejo: las semillas japonesas de sésamo, llamadas *gomaiso*, son más gruesas que las semillas de sésamo corrientes y tienen un sabor más pronunciado a frutos secos. Están disponibles en colmados asiáticos, pero si no las encuentra, use sésamo corriente.

SALSA SICHUAN

La región de Sichuan, en China, es famosa por su gastronomía y, especialmente, por sus platos y salsas muy picantes. Esta clásica salsa de chile es muy adecuada para los fideos chinos y las hortalizas salteadas, o vertida sobre arroz fragante cocido al vapor. Hay recetas para preparar salsa ketchup y *hoisin* caseras en otras partes de este libro, pero, en este caso, puede comprarlas ya preparadas.

Para preparar 400 ml

2 c/s de ketchup (*véase* pág. 167: ketchup casero)
2 c/s de salsa *hoisin* (*véase* pág. 160: salsa *hoisin* casera)
2 c/s de salsa de alubias negras
1 c/s de salsa de ciruelas
2 c/s de vino de Shaoxing o de jerez seco
2 c/p de vinagre chino negro
2 c/p de pasta de chile
2 c/s de salsa de soja ligera
2 c/s de aceite de cacahuete
2 dientes de ajo majados
un trozo de 5 cm de jengibre fresco rallado
150 ml de fondo de ave (*véase* pág. 8)
2 c/p de aceite de sésamo

1 Vierta el ketchup, la salsa *hoisin*, la salsa de alubias negras, la salsa de ciruelas, el vino o el jerez, el vinagre, la pasta de chile y la salsa de soja en un cuenco.

2 Caliente el aceite en un wok o una sartén y añada el ajo y el jengibre. Cocínelos 1 minuto y vierta la mezcla del cuenco, junto con el fondo de ave en la sartén. Cocine durante 4-5 minutos y retire del fuego. Añada el aceite de sésamo y sirva.

SALSA *HOISIN*

La salsa *hoisin*, también conocida como salsa Pekín, es un mojo chino espeso, de color marrón rojizo y con un sabor que es una mezcla de dulce, salado y con matices picantes. Se elabora con habas de soja fermentadas, azúcar, ajo y guindilla, y se suele servir con carnes a la barbacoa, especialmente carnes grasas, y con pato Pekín. También es la base de otras muchas salsas de estilo chino.

Se puede comprar salsa *hoisin* ya preparada, pero les ofrezco mi versión, que me facilitó un chef chino amigo mío.

Para preparar 300 ml

2 dientes de ajo
1 guindilla roja sin las semillas y picada fina
100 g de pasta de alubias negras
4 c/p de aceite de sésamo
4 c/p de vinagre de vino de arroz o de vinagre blanco destilado
75 ml de salsa oscura de soja
3 c/s de melaza o miel

1 Introduzca el ajo en un mortero y májelo con una mano de mortero hasta obtener una pasta fina.
2 Añada la guindilla y vuelva a majar hasta obtener una pasta.
3 Agregue la pasta de alubias negras, el aceite de sésamo y el vinagre e incorpore la salsa de soja.
4 Caliente la melaza o la miel en un cazo e incorpórela a la pasta. Quizás necesite añadir más salsa de soja o pasta de alubias, dependiendo de su gusto personal.

PATO PEKÍN ASADO

Tradicionalmente, la preparación del pato Pekín lleva un año: primero se blanquean los patos en agua hirviendo para eliminar la grasa y luego se seca la piel colgándolos en un lugar aireado.

Para 4 personas

1 pato de unos 1,7 kg
4 c/s de salsa *hoisin* (*véase* izquierda)
1 c/p de jengibre fresco pelado y rallado
½ c/p de mezcla china de cinco especias en polvo (contiene hinojo, clavos de especia, canela, anís estrellado y pimienta de Sichuan)
2 c/s de miel líquida
1 c/s de salsa de soja ligera
1 c/s de jerez dulce
1 diente de ajo majado

1 Blanquee el pato entero en una cacerola grande con agua hirviendo (o, como alternativa, sujete el pato sobre el fregadero y vierta encima con cuidado agua hirviendo, girando el pato para que su piel se escalde). Séquelo bien con un paño de cocina y precaliente el horno a 200 °C.
2 Introduzca los restantes ingredientes en una cacerola y lleve a ebullición a fuego lento. Retire del fuego y pincele el pato (por dentro y por fuera) abundantemente con esta mezcla.
3 Disponga el pato en una rejilla, sobre una rustidera, y áselo 1½ horas, hasta que esté caramelizado y pegajoso y la piel crujiente. Baje la temperatura del horno a 180 °C y cocínelo durante 40 minutos más.
4 Retire el pato el horno y déjelo enfriar antes de trincharlo. Sírvalo con setas *shiitake* salteadas, hortalizas chinas cocidas al vapor y un poco de salsa hoisin mezclada con un poco de agua caliente.

Consejo: si no dispone de una rejilla para asar, una rejilla para enfriar pasteles también le servirá.

PATO PEKÍN ASADO

Si desea obtener la máxima autenticidad, cuelgue el pato blanqueado y secado 5 horas a temperatura ambiente antes de asarlo; la piel debería quedar muy crujiente.

SALSA JAPONESA DE MOSTAZA

⊕ *Sirva esta mostaza picante untada en un jugoso bistec o unas chuletas de cerdo; el resultado es delicioso.*

Para preparar 150 ml

2 dientes de ajo majados
1 c/s de jengibre encurtido
1 c/p de semillas de sésamo tostadas
½ c/p de pasta de *wasabi*
2 c/s de mostaza de Dijon
1 c/p de *mirin* (vino japonés dulce de arroz)
1 c/p de salsa de soja

1 Introduzca el ajo, el jengibre, las semillas de sésamo y la pasta de *wasabi* en un mortero y maje con una mano de mortero hasta obtener una pasta fina.
2 Pase la mezcla a un cuenco e incorpore la mostaza.
3 Añada el *mirin* y la salsa de soja y mezcle bien.

SALSA *TERIYAKI*

La palabra *teriyaki* deriva de *teri*, que significa «dar brillo y lustre»; *yaki* hace referencia al método de cocción: a la parrilla. Tradicionalmente, el ingrediente a cocinar se untaba o pincelaba varias veces con la salsa antes y durante la cocción. La adición de melaza no es realmente tradicional, pero creo que aporta un sabor untuoso y brillo. En Japón, a veces se añade un poco de jengibre rallado.

Puede adquirir salsa *teriyaki* embotellada, pero no es comparable a la variedad casera, que es muy fácil de preparar. ⊕ *Combina de forma deliciosa con pescado, carne, aves y hortalizas, como adobo o marinada, salsa para cocer o glaseado.*

Para preparar 300 ml

125 ml de *shoyu* (salsa de soja japonesa)
2 c/s de *mirin* (vino japonés dulce de arroz)
1 c/s de azúcar moreno
3 c/s de melaza

1 Introduzca todos los ingredientes en un cazo y lleve a ebullición a fuego lento. Cueza durante 10 minutos a fuego lento, hasta que adquiera la consistencia de un jarabe y deje enfriar.

Variantes

SALSA *TERIYAKI* CON *WASABI* Y JENGIBRE

Añada 1 c/s de jengibre recién rallado a la receta básica e incorpore, sin dejar de batir con unas varillas, ¼ c/p de pasta de *wasabi* a la salsa acabada y enfriada.

SALSA *TERIYAKI* BARBACOA

Incorpore, sin dejar de batir con unas varillas, 1 c/p de mostaza de Dijon y la ralladura de 1 naranja pequeña a la salsa acabada y enfriada.

Sugerencia para servir

VIEIRAS A LA BARBACOA GLASEADAS CON SALSA *TERIYAKI*

(para 4 personas)

Disponga 12 vieiras frescas, de tamaño mediano-grande, limpias y extraídas de sus conchas, en un plato llano y vierta 150 ml de salsa *teriyaki* por encima. Cúbralas y déjelas marinar 1 hora en el frigorífico.

Cocínelas en una barbacoa o parrilla caliente 1 minuto por cada lado; vaya pincelándolas regularmente con la marinada. Al mismo tiempo, recaliente otros 100 ml de salsa *teriyaki* (no use la marinada, ya que ha estado en contacto con pescado crudo). Sirva las vieiras a la parilla de inmediato, acompañadas de algunos puerros enanos a la parrilla y la salsa *teriyaki* recalentada.

SALSA *CHIBA*

(*wasabi* con mayonesa)

La salsa *chiba* es un mojo japonés que acompaña maravillosamente a la tempura, verduras de hoja de sabor delicado, como el *shiso* (o perilla), hortalizas, marisco o carne, o que se usa como mojo picante para las patatas fritas (normales o de bolsa). Si no está familiarizado con el *wasabi*, tega cuidado, ya que es realmente picante. Tal vez prefiera ajustar la cantidad según sus preferencias.

Para preparar 200 ml

½ c/p de pasta de *wasabi* (raiforte japonés)
150 ml de mayonesa casera (*véase* pág. 30)
2 c/s de nata para montar
2 c/p de *shoyu* (salsa de soja japonesa)

1 Mezcle todos los ingredientes en un cuenco. Se conservará durante 3-4 días en el frigorífico, en un recipiente bien cerrado.

MARISCO REBOZADO EN TEMPURA CON ALGA NORI CON SALSA *CHIBA*

Para 4 personas

6 vieiras limpias cortadas por la mitad
12 ostras grandes (extraídas de su concha)
8 langostinos grandes pelados
aceite vegetal para freír
100 ml de salsa *chiba* (*véase* izquierda) y gajos de lima, para servir

Para el rebozado

20 g de harina
80 g de harina de maíz
1 lámina de alga nori picada fina
sal
175 ml de agua helada
1 clara de un huevo grande de gallina campera batida ligeramente

1 Prepare el rebozado. Mezcle la harina, la harina de maíz y el alga picada en un cuenco junto con un poco de sal.

2 Añada el agua helada y la clara de huevo batida y remueva hasta que todo se haya mezclado. El rebozado debería seguir teniendo grumos.

3 Caliente el aceite a 180 °C en una freidora o una sartén. Sazone el marisco e introduzca cada trozo en el aceite caliente. Deberá hacerlo en dos veces, así que sazone y reboce sólo la mitad del marisco.

4 Fría el marisco 1 minuto hasta que quede dorado y crujiente. Retírelo con una espumadera y colóquelo sobre papel de cocina. Manténgalo caliente mientras reboza y fríe el marisco restante.

5 Distribuya el marisco en 4 platos y sírvalo con la salsa *chiba* y los gajos de lima.

SALSA AGRIDULCE

Es una de las salsas chinas más apreciadas y consumidas. ⊕ *Sírvala con cerdo o pollo frito crujiente o como mojo: es excelente.*

Para preparar 400 ml

150 ml de vinagre de vino de arroz
2 c/s de sake o de jerez seco
5 c/s de azúcar moreno blando
2 c/s de ketchup (*véase* pág. 167: ketchup casero)
2 c/p de salsa de soja ligera
4 c/p de harina de maíz mezclada con 4 c/p de agua

1 Vierta el vinagre, el sake o el jerez, el azúcar, el ketchup y la salsa de soja en un cazo y lleve a ebullición. Baje el fuego y cueza durante 4-5 minutos a fuego lento.

2 Incorpore la mezcla de harina de maíz y agua a la salsa durante su cocción y cocínela 1 minuto más.

Variante

SALSA *HUNAN*

Esta salsa se podría describir como una variante picante de la salsa agridulce. Añada, simplemente, a la receta básica 2 c/s de salsa dulce de guindilla o de *sambal oelek* (*véase* pág. 148) y un trozo de 2,5 cm de jengibre fresco pelado y rallado. Resulta exquisita al cocinarla con pollo o langostinos.

Consejo: a veces se agrega piña fresca cortada en dados, pimiento cortado en tiras, o cebolletas o zanahorias laminadas y se cocinan en la salsa antes de espesarla.

SALSA DE ALUBIAS NEGRAS CHINAS

Para preparar 300 ml

2 c/s de aceite de sésamo
1 c/s de aceite de cacahuete
2 dientes de ajo majados
un trozo de 2,5 cm de jengibre fresco pelado y picado fino
75 g de alubias negras chinas picadas gruesas
150 ml de un buen fondo de ave (*véase* pág. 8)
3 c/s de salsa oscura de soja
1 c/s de *mirin* (vino japonés dulce de arroz)
1 c/p de azúcar
1 c/p de harina de maíz mezclada con 1 c/p de agua

1 Caliente ambos aceites en un wok a fuego fuerte. Añada el ajo, el jengibre y las alubias negras y fríalo todo 1 minuto.

2 Agregue el fondo de ave, la salsa de soja, el *mirin* y el azúcar y lleve a ebullición.

3 Cueza 2 minutos a fuego lento e incorpore la mezcla de harina de maíz y de agua hasta que la salsa espese.

Sugerencia para servir

TERNERA SALTEADA CON SALSA DE ALUBIAS NEGRAS

(para 4 personas)

Corte un filete de ternera de 750 g en tiras finas. Caliente un poco de aceite de cacahuete en un wok o una sartén y añada la carne de ternera, en varias veces, para asegurarse de que el wok o la sartén se mantengan calientes durante la cocción. Cocínelos 1-2 minutos, hasta que queden sellados; reserve cada tanda en un plato y consérvelo caliente mientras cocina la carne de ternera restante. Tras la última tanda, vuelva a introducir toda la carne de ternera en el wok junto con 200 ml de salsa de alubias negras (*véase* superior) y cocínelo todo 2 minutos. Sirva la carne de ternera con la salsa junto con brécol y arroz cocidos al vapor.

SALSA CÓCTEL AMERICANA CLÁSICA

Esta salsa cóctel picante e impactante es muy apreciada en toda América, ⊕ *Sírvala como mojo con gambas u otros mariscos.*

Para preparar 300 ml

200 ml de ketchup (*véase* pág. 167: ketchup casero)
2 c/s de rábano picante recién rallado
1 diente de ajo majado
el zumo de 1 limón
3 gotas de salsa Tabasco
sal y pimienta negra recién molida

1 Mezcle todos los ingredientes en un cuenco con sal y pimienta al gusto. Se conservará 1 semana en el frigorífico, pero perderá su frescor después de un par de días.

Variante

SALSA CÓCTEL AL ESTILO JAPONÉS

Ralle un trozo de 5 cm de jengibre fresco pelado y añádalo a la receta básica junto con 1 c/s de *shoyu* (salsa de soja japonesa).

KETCHUP AMERICANO CLÁSICO

La salsa ketchup apareció por primera vez en los libros de cocina americanos a principios del siglo XIX, aunque era un término general que se refería a una salsa preparada con champiñones, nueces o frutas.

Para preparar 1 l

1 kg de tomates muy maduros y sabrosos cortados en cuartos
1 c/s de concentrado de tomate
300 g de cebollas picadas
300 g de manzanas peladas, sin corazón y picadas
1 l de vinagre blanco destilado o vinagre de sidra
20 g de semillas de mostaza
½ c/p de copos de chile seco
½ ramita pequeña de canela
1 c/p de macís molido
1 c/p de granos de pimienta negra
1 c/p de sal marina
250 g de azúcar moreno

1 Introduzca los tomates, el concentrado de tomate, las cebollas y las manzanas en una cacerola de base gruesa junto con la mitad del vinagre, todas las especias y la sal.
2 Lleve la mezcla a ebullición y luego cuézala 1¾-2 horas a fuego lento; vaya removiendo de vez en cuando hasta que quede bien reducida.
3 Cuele la mezcla caliente con un colador chino en una cacerola y retire cualquier resto sólido.
4 Añada el vinagre restante y el azúcar y remueva la mezcla puesta a fuego lento hasta que el azúcar se haya disuelto.
5 Lleve a ebullición y cueza a fuego lento hasta que quede espesa y con una consistencia como la del jarabe; retire del fuego y deje enfriar.
6 Una vez frío, vierta el ketchup en tarros tibios esterilizados (si lo va a conservar) y manténgalos en un lugar fresco. También puede conservarlo 1 mes en el frigorífico en un recipiente bien tapado.

SALSA BARBACOA AHUMADA CON MOSTAZA

Prepárela unos días antes de necesitarla para permitir que se potencien los sabores. ⊕ *Úsela para untar trozos de pollo o costillas de cerdo justo antes de finalizar su cocción; es realmente delicioso. Otro consejo es que la extienda generosamente sobre un pequeño filete, entre unas rebanadas de pan francés crujiente.*

Para preparar 300 ml

2 c/s de aceite vegetal
1 cebolla picada fina
1 diente de ajo majado
el zumo de 1 limón
100 g de azúcar moreno blando o de miel
4 c/s de vinagre de vino tinto
150 ml de ketchup (*véase* pág. 167: ketchup casero)
2 c/s de salsa Worcestershire
1 c/s de pimentón ahumado
75 ml de salsa picante de chile de estilo mexicano o ½ c/p de salsa Tabasco
1 c/p de mostaza de Dijon
sal y pimienta negra recién molida

1 Caliente el aceite en una sartén y agregue la cebolla y el ajo. Cocínelos 5 minutos hasta que estén tiernos y ligeramente dorados.
2 Añada los ingredientes restantes, excepto la sal y la pimienta, y cueza durante 8-10 minutos a fuego lento. Salpimiente al gusto y sirva.

SALSA BULGOGI

(Salsa barbacoa coreana)

⊕ *Esta salsa con sabor a sésamo, cuyo nombre significa, literalmente, «carne de fuego», puede usarse como adobo para servir junto con carne y ave a la barbacoa.*

Para preparar 200 ml

1 diente de ajo majado
1 c/p de semillas de sésamo tostadas
½ c/p de sal gruesa
2 c/p de azúcar
2 c/s de salsa de soja
2 c/p de aceite de sésamo tostado
2 c/s de agua
2 c/s de vino de arroz o de jerez seco
3 cebolletas picadas finas
1 c/s de salsa picante de chile o de *sambal oelek* (*véase* pág. 148)

1 Introduzca el ajo, las semillas de sésamo, la sal y el azúcar en un mortero y májelos con una mano de mortero hasta obtener una pasta fina.
2 Añada los ingredientes restantes y mezcle bien. Se conservará durante 2-3 días en el frigorífico, en un recipiente bien cerrado.

PONZU CÍTRICO

(Aliño de lima y jengibre)

El *ponzu* es un mojo o un aliño ligero tradicional elaborado con salsa de soja y zumo de cítricos. Puede comprarla en colmados asiáticos, pero carece del sabor de la recién hecha. El *yuzu* es un cítrico japonés que suele ser difícil de obtener.

⊕ *Es fantástico como marinada para vieiras u ostras.*

Para preparar 150 ml

2 c/s de zumo fresco de *yuzu* o de lima
2 c/p de vinagre japonés de vino de arroz
1 c/s de salsa de soja ligera
2 *mirin* (vino japonés dulce de arroz)
1 c/s de *sake*
1 c/s de azúcar lustre
un trozo de 5 cm de alga kombu
un trozo de 2,5 cm de jengibre fresco pelado y rallado fino
½ c/p de corteza de lima rallada fina y blanqueada

1 Introduzca todos los ingredientes, excepto la ralladura de lima, en un cuenco y remueva hasta que se hayan disuelto completamente.
2 Cubra el cuenco con film transparente y refrigérelo 24 horas para que los sabores se mezclen.
3 Para servir, retire el alga kombu y añada la ralladura de lima blanqueada.

ALIÑOS JAPONESES PARA ENSALADA

Tal vez no se imagine a los japoneses como muy aficionados a las ensaladas, pero, de hecho, en el mundo actual, la ensalada forma parte integral de la vida cotidiana, especialmente entre las generaciones más jóvenes. Aquí tenemos tres de sus aliños más comunes. Lo mejor es servirlos de inmediato, aunque puede conservarlos 1 día en el frigorífico.

ALIÑO CREMOSO DE SÉSAMO

⊕ *Es especialmente delicioso con verduras de ensalada, para preparar una ensalada verde básica.*

Para preparar 150 ml

2 c/s de semillas de sésamo blancas majadas (*véase* consejo pág. 159)
1 c/p de vinagre de vino de arroz
2 c/s de aceite vegetal
1 c/p de azúcar
1 c/p de salsa de soja
2 c/s de mayonesa (*véase* pág. 30)
1 chalota o una cebolla pequeña picada fina

1 Bata todos los ingredientes en un cuenco, con unas varillas, hasta que se mezclen bien.

ALIÑO DE *YUZU*

⊕ *Se trata de un aliño muy fragante y refrescante y resulta exquisito con marisco.*

Para preparar 150 ml

4 c/s de zumo de *yuzu* fresco o embotellado
1 c/s de *shoyu* (salsa japonesa de soja)
1 c/p de azúcar
6 c/s de aceite vegetal o de cacahuete

1 Mezcle todos los ingredientes en un cuenco.

ALIÑO DE *WASABI* Y JENGIBRE

⊕ *Es delicioso con pescado y marisco, especialmente con cangrejo y ostras.*

Para preparar 150 ml

1 c/p de *shoyu* (salsa japonesa de soja)
2 c/s de vinagre de vino de arroz
1 c/s de azúcar
½ c/p de aceite de sésamo
4 c/s de aceite vegetal
½ c/p de pasta de *wasabi*
2,5 cm de jengibre fresco pelado y rallado

1 Vierta el *shoyu* y el vinagre en un cuenco. Añada el azúcar y bata bien con unas varillas.
2 Incorpore los ingredientes restantes y mezcle.

ENSALADA DE CANGREJO, RÁBANO Y ALGAS

No sólo es una ensalada excelente, sino que además es sumamente saludable y nutritiva.

Para 4 personas

120 g de alga wakame dejada en remojo 2 horas en agua tibia y escurrida
50 g de alga hijiki dejada 10 minutos en remojo en agua tibia y escurrida
6 rábanos laminados finos
75 g de *daikon* (rábano blanco japonés) pelado y laminado fino
150 g de carne de cangrejo fresca
20 g de jengibre encurtido
150 ml de aliño de *wasabi* y jengibre (*véase* superior)
1 c/p de semillas de sésamo negras tostadas

1 Introduzca las algas escurridas, los rábanos, el *daikon*, el cangrejo y el jengibre en un cuenco.
2 Añada el aliño de *wasabi* y jengibre, remueva bien y sirva en platos individuales; esparza las semillas de sésamo por encima.

SAFRAN jaune
(p pot plein 70 Fr.)
25 gr 50 F
50 gr 90 F

FUSIÓN

Fusión es un término relativamente nuevo aplicado a una revolución que comenzó en Estados Unidos a finales de la década de 1970, pero que ahora se ha adoptado en muchas partes del mundo. En esencia, describe un estilo de cocina en el que los chefs experimentan con técnicas, ingredientes y presentaciones procedentes de distintas tradiciones culinarias, para crear nuevos platos que proceden del cruce de culturas. Si se realiza bien, los resultados pueden ser muy inspirados, pero deben tenerse conocimientos sobre cómo combinan los distintos sabores entre sí.

Si es lo suficientemente osado como para experimentar con este intercambio culinario, es una forma muy liberadora de cocinar. Este capítulo le ayudará a descubrir el placer que se obtiene al añadir chile a una tradicional salsa bearnesa francesa, condimentos asiáticos a un pesto italiano y *wasabi* japonés a un aliño balsámico. Puede que a algunos les parezca una pequeña herejía, aunque nadie podrá negar que esta forma de cocinar abre todo un mundo de emocionantes posibilidades.

SALSA *VIERGE* ASIÁTICA

En esta salsa francesa clásica y ligera basada, tradicionalmente, en el aceite de oliva, el zumo de limón, los tomates y las hierbas aromáticas; el picante *sambal*, el jengibre y el comino aportan un toque exótico y revitalizante. ⊕ *Resulta exquisita con pollo a la parrilla.*

Para preparar 200 ml

6 c/s de aceite de oliva
2 dientes de ajo majados
½ c/p de semillas de comino ligeramente tostadas
un trozo de 2,5 cm de jengibre fresco pelado y rallado fino
4 tomates pelados, sin las semillas y picados
1 c/p de *sambal oelek* (*véase* pág. 148)
2 c/s de zumo de limón
1 c/s de perejil de hoja plana picado
1 c/s de menta picada
sal y pimienta negra recién molida

1 Vierta el aceite en una cacerola junto con el ajo, las semillas de comino y el jengibre y caliéntelos 1 minuto a fuego lento.
2 Añada los tomates y cocínelos durante 3-4 minutos, hasta que queden tiernos.
3 Añada el *sambal oelek*, el zumo de limón, el perejil y la menta. Salpimiente al gusto y sirva.

SALSA TÁRTARA CON GUINDILLA

Ésta es mi versión de una salsa clásica a base de mayonesa, con un poco de picante. ⊕ *Sírvala como una salsa tártara.*

Para preparar 300 ml

150 ml de mayonesa (*véase* pág. 30)
3 c/s de pepinillos en encurtido dulce de eneldo picados
1 cebolla roja pequeña picada fina
2 cebolletas picadas finas
1 c/p de alcaparras finas, escurridas y picadas gruesas
2 c/s de hojas de cilantro picadas
½ c/p de salsa Tabasco verde picante o 1 guindilla verde picada fina
1 c/s de aceite de sésamo
sal y pimienta negra recién molida
la ralladura y el zumo de ½ limón

1 Vierta la mayonesa en un cuenco. Añada los restantes ingredientes, excepto la ralladura y el zumo de limón. Cubra la mezcla y refrigérela por lo menos durante 1 hora.

2 Añada la ralladura y el zumo de limón y rectifique el punto de sazón. La salsa se conservará 2 días en el frigorífico en un recipiente bien cerrado.

ALIÑO BALSÁMICO CON *WASABI*

Me encanta la comida japonesa, especialmente el sushi, y creo que podría vivir alimentándome sólo de él. El equilibrio entre el sabor salado y el picante de los ingredientes japoneses es sublime. Esta alianza japonesa-italiana es, básicamente, una vinagreta con matices japoneses. ⊕ *Úsela de la forma en que emplearía una vinagreta clásica para aliñar verduras y ensaladas o, como me gusta a mí, rociada sobre un carpaccio de atún, calamar o pulpo.*

Para preparar 150 ml

½ c/p de pasta de *wasabi* (raiforte japonés)
1 c/p de *tamari* (salsa de soja japonesa)
1 c/p de azúcar
1 c/s de vinagre balsámico
1 c/s de vinagre de vino de arroz
1 c/p de aceite de sésamo
6 c/s de aceite de oliva

1 Introduzca el *wasabi* y el *tamari* en un cuenco, añada el azúcar y ambos vinagres y bata bien con unas varillas.

2 Incorpore, sin dejar de batir con las varillas, el aceite de sésamo y luego el aceite de oliva. Tape la salsa y refrigérela hasta que la necesite.

Consejo: el *tamari* es una salsa de soja compleja, oscura y sabrosa elaborada únicamente con habas de soja, y no con trigo. El *shoyu* es una salsa de soja japonesa más ligera elaborada con mitad de habas de soja y mitad de trigo. El *tamari* es especialmente bueno para el creciente número de personas que adoptan una dieta sin trigo.

MI CARPACCIO DE ATÚN

No hace falta decir que necesitará el atún más fresco posible para preparar esta receta.

Para 4 personas

una pieza de 400 g de lomo de atún
2 c/s de aceite de oliva virgen extra
75 ml de aliño balsámico con *wasabi* (*véase* pág. 179)
un poco de pimienta negra molida gruesa
hojas de rúcula, aguacate laminado y gajos de naranja (opcional), para servir

1 Envuelva la pieza de atún con film transparente para que adquiera una forma cilíndrica; retuerza los extremos del film, de modo que parezca una salchicha. Póngalo 2-3 horas en el congelador o hasta que esté firme, pero no congelado.
2 Retírelo del congelador y colóquelo sobre una tabla de cocina. Córtelo en rodajas muy finas.
3 Disponga las rodajas delicadamente en 4 platos individuales que cubran toda su superficie.
4 Pincele las rodajas con un poco de aceite de oliva, vierta el aliño balsámico con *wasabi* por encima y espolvoree con un poco de pimienta negra molida.
5 Decore cada plato con rúcula, aguacate y gajos de naranja. Sirva con pan crujiente.

Otras recetas de salsas fusión rápidas y fáciles

SALSA BEARNESA SUDOCCIDENTAL

Añada 2 guindillas rojas sin las semillas picadas finas a la salsa bearnesa acabada (*véase* pág. 24). Es exquisita con entrecot a la brasa y con pescado blanco jugoso a la parrilla, como el rape.

SALSA *ROUILLE* CHINA

Para añadir un toque oriental a una caldereta de marisco o a una sopa de pescado, reemplace la guindilla en la receta de la salsa *rouille* (*véase* pág. 33) por 2 c/s de salsa picante de guindilla (*sambal oelek*, *véase* pág. 148) y añada 1 c/p de salsa de soja ligera.

SALSA DE JENGIBRE ENCURTIDO Y TOMATE

Para obtener una salsa de inspiración japonesa, corte algunos tomates en rama y pimientos en daditos; pique ajo e introdúzcalos en un cuenco. Añada un poco de salsa de soja, vinagre de vino de arroz, azúcar y un poco de salsa picante de guindilla (*sambal oelek*, *véase* pág. 148) para equilibrar los sabores. Por último, agregue un poco de jengibre encurtido picado fino y cilantro picado. Es deliciosa si la sirve con una ensalada fría de fideos o con marisco frío.

PESTO CON TAMARINDO Y MENTA

Reemplace la albahaca de la receta de la salsa pesto básica (*véase* pág. 77) por hojas de menta fresca. Añada un trozo de 2,5 cm de jengibre fresco pelado y rallado y 1 c/p de pasta de tamarindo. Proceda como en la receta básica. Es excelente con pescado o cordero a la parrilla o con marisco.

PESTO TAILANDÉS

Reemplace la albahaca en la receta de la salsa pesto básica (*véase* pág. 77) con una mezcla de mitad y mitad de cilantro y hojas de albahaca tailandesa, y luego añada 1 guindilla roja picada fina y 2 c/s de aceite de sésamo. Es muy sabrosa vertida sobre mejillones a la parrilla u otros mariscos como los calamares, los langostinos o las almejas a la plancha.

SALSA DE *MISO* Y TOMATE

Siga la receta de la salsa de tomate francesa clásica (*véase* pág. 58), pero, tras añadir el concentrado de tomate, agregue 2 c/s de pasta de *miso* roja, 1 c/s de salsa de soja y 1 c/s de *mirin* (vino japonés dulce de arroz), y luego el azúcar. Me encanta tomarla con salmón a la parrilla y un salteado de hortalizas asiáticas.

SALSA TAILANDESA PARA ENTRECOT

La genialidad de esta salsa constituye su doble objetivo: sirve para untar los entrecots, mientras la carne se cocina, y como acompañamiento para el plato acabado. ⊕ *Disfrútela con un entrecot o pollo: pronto se convertirá en una de sus salsas favoritas.*

Para preparar 150 ml

2 c/s de pasta de tamarindo
4 c/s de agua
1 c/s de *nam pla* (salsa tailandesa de pescado)
2 c/s de azúcar de palma o de azúcar moreno blando
2 dientes de ajo majados
4 c/s de ketchup (*véase* pág. 167: ketchup casero)
2 c/s de salsa dulce de guindilla (*véase* pág. 146)
1 c/s de *kecap manis* (salsa de soja indonesia)

1 Introduzca el tamarindo, vierta el agua en una cacerola y lleve a ebullición.
2 Añada los ingredientes restantes y cocínelos durante 2 minutos. Retire del fuego y deje enfriar.

SALSA VERDE JAPONESA

La salsa verde italiana es una de mis favoritas. Lo tiene todo: un gusto picante, frescor y un ligero toque intenso. En esta versión, un poco de raiforte japonés y unas picantes hojas de *mizuna* aportan un toque de sabor del lejano Oriente a esta salsa clásica. ⊕ *Me encanta tomarla con filetes de caballa a la sal cocinados a la plancha y con patatas calientes* (véase *la siguiente receta).*

Para preparar 200 ml

1 c/p de pasta de *wasabi* (raiforte japonés)
150 ml de aceite de oliva
25 g de perejil de hoja plana
15 g de hojas de *mizuna* o de rúcula
4 c/s de alcaparras superfinas escurridas
1 c/s de *nam pla* (salsa tailandesa de pescado)
2 dientes de ajo majados
el zumo de 1 limón

1 Ponga la pasta de *wasabi* en un cuenco e incorpore el aceite en un hilillo, sin dejar de batir con unas varillas.
2 Pase la mezcla a una batidora, añada los restantes ingredientes y triture hasta obtener un puré grueso.

CABALLA A LA PARRILLA CON SALSA VERDE JAPONESA

(para 4 personas)

Practique unos cortes superficiales en la piel de 8 filetes de caballa limpios y pulidos y sazónelos con abundante sal gruesa y un poco de pimienta. Dispóngalos en una rustidera aceitada bajo un grill muy caliente 3-4 minutos por lado, hasta que estén hechos. Corte 225 g de patatas cocidas en láminas y, mientras todavía estén calientes, mézclelas con 1 cebolla roja laminada fina, 200 g de tomates en rama pequeños cortados en rodajas y el zumo de ½ limón. Reparta esta mezcla en 4 platos y coloque 2 filetes de caballa encima de cada uno. Vierta 100 ml de salsa verde japonesa y sirva.

ALIOLI PICANTE CON MANGO

Puede añadir todo tipo de ingredientes a un alioli básico, y ésta es, simplemente, una versión que usa especias hindúes. ⊕ *Resulta deliciosa como pasta para untar en el pan de un bocadillo de pollo o con salmón ahumado y tocino. También es excelente con salmón o costillas de cordero a la parrilla.*

Para preparar 150 ml

2 c/p de aceite vegetal
¼ c/p de asafoetida en polvo
¼ c/p de semillas de mostaza negra
4 hojas de árbol del curry
2 c/s de chutney de mango picado fino
1 guindilla roja picante pequeña picada fina
sal
100 ml de alioli (*véase* pág. 33)

1 Caliente el aceite en una sartén a fuego medio y esparza la asafoetida, las semillas de mostaza y las hojas de árbol del curry. Fríalo todo ligeramente hasta que las semillas chisporroteen.
2 Añada el *chutney* de mango, la guindilla y un poco de sal, tape y cocine 2 minutos para que se caliente bien la mezcla. Retire del fuego y deje enfriar.
3 Cuando la salsa esté fría, añada la mezcla al alioli.

EL MEJOR BOCADILLO DE POLLO IMAGINABLE

Es un gran bocadillo: muy sabroso y realmente satisfactorio.

Para 4 personas

4 pechugas de pollo deshuesadas y sin la piel, de unos 150 g cada una
2 c/p de pasta de especias *tandoori*
aceite de oliva
8 lonchas de tocino
4 panecillos de hamburguesa cortados por la mitad
2 tomates pera firmes, maduros, en rodajas gruesas
hojas de 1 lechuga romana crujiente
4 lonchas de queso emmenthal
75 ml de alioli picante con mango (*véase* izquierda)

1 Disponga las pechugas de pollo (una de cada vez) entre 2 láminas de film transparente y, con un mazo o un rodillo de cocina, golpéelos hasta que adquieran un grosor de alrededor de 1,5 cm. Pincele toda su superficie con la pasta de especias *tandoori*.
2 Ponga una parrilla al fuego hasta que esté muy caliente. Pincele la parrilla con aceite de oliva y añada las pechugas de pollo. Cocínelas 2-3 minutos por cada lado, o hasta que estén bien hechas.
3 Al mismo tiempo, si dispone de espacio en la parrilla, fría el tocino hasta que quede crujiente. De lo contrario, retire el pollo y manténgalo caliente mientras cocina el tocino.
4 Mientras, precaliente el grill hasta que esté caliente. Tueste los panecillos hasta que queden dorados y disponga encima del medio panecillo inferior el tomate en rodajas, la lechuga y la pechuga de pollo.
5 Coloque, encima de cada pechuga, 2 lonchas de tocino y 1 de queso y ponga cada bocadillo bajo el grill caliente para que el queso se derrita.
6 Disponga encima una buena cucharada de alioli picante con mango. Añada la parte superior del panecillo y presione ligeramente hacia abajo.

SALSA DE CHILE CON YOGUR

Se trata de una salsa realmente refrescante y fresca que se basa en la idea de una salsa cóctel europea con un toque intenso y que engloba muchos influjos culturales. ⊕ *Es deliciosa con carne de cangrejo fresca o langostinos.*

Para preparar 150 ml

½ cebolla rallada fina
un trozo de 2,5 cm de jengibre fresco pelado y rallado
1 chile jalapeño rojo sin las semillas y picado fino
¼ c/p de cúrcuma molida
½ c/p de azúcar
75 ml de ketchup (*véase* pág. 167: ketchup casero)
1 c/p de *sambal oelek* (*véase* pág. 148), o una cantidad al gusto
3 c/s de yogur natural espeso
1 c/s de hojas de cilantro picadas
sal y pimienta negra recién molida

1 Introduzca la cebolla y el jengibre rallados en un cuenco e incorpore los ingredientes restantes. Salpimiente al gusto y sirva.

SALSA MÉXICO VÍA BOMBAY

Creé esta salsa de estilo asiático casi por casualidad mientras preparaba una cena de estilo hindú en casa para unos amigos. Mi mujer olvidó comprar yogur para un aliño *raita* para los entremeses, así que improvisé con los ingredientes de los que disponía y surgió esta salsa de inspiración hindú. Gustó tanto que me alegra incluirla en esta sección del libro. ⊕ *Sírvala con carnes cocinadas al estilo hindú, como* kebabs *(pinchitos) o pollo* tandoori, *o con pescado o marisco a la parrilla.*

Para preparar 300 ml

un trozo de 2,5 cm de jengibre fresco pelado y rallado fino
225 g de tomates pera maduros, pero firmes, picados en trocitos pequeños
75 g de pepino picado en trocitos
1 cebolla roja picada
2 dientes de ajo majados
2 c/s de vinagre balsámico o de vinagre de arroz
el zumo de 2 limas grandes
½ c/p de comino molido
2 c/s de hojas de cilantro picadas
1 c/s de menta picada
1 c/s de pasta de tamarindo (*véase* consejo pág. 187)
sal

1 Mezcle todos los ingredientes, excepto la sal, en un cuenco, cúbralo y déjelo reposar durante 1 hora a temperatura ambiente para que los sabores se potencien.

2 Añada sal al gusto antes de servir.

Consejo

SALSA MÉXICO VÍA BOMBAY

La pasta de tamarindo, un ingrediente tradicional de la cocina asiática, contribuye al sabor ligeramente amargo, con un matiz de frutas tropicales. A veces este ingrediente se encuentra en forma de vainas frescas, pero también a modo de unos bloques comprimidos o como una pasta fina, parecida a un puré, envasada en tarros.

SALSA DE MANTEQUILLA CON SALSA DE SOJA Y LIMA KAFFIR

Las hojas de lima kaffir proceden del sudeste asiático, donde los cocineros suelen usar la ralladura de la lima y las hojas, generalmente en salsas, o cocida a fuego lento en sopas y currys. Si no las encuentra, puede reemplazar las hojas de lima kaffir por ralladura de lima. ⊕ *Todo tipo de marisco o pescado a la parilla resultará exquisito con esta salsa de mantequilla dulce, salada y amarga preparada siguiendo técnicas francesas.*

Para preparar 200 ml

50 g de mantequilla sin sal refrigerada
2 chalotas laminadas
un trozo de 1,5 cm de jengibre fresco pelado y laminado
50 ml de vinagre blanco destilado
100 ml de fondo de ave (*véase* pág. 8)
3 c/s de *kecap manis* (salsa de soja indonesia)
100 ml de nata para montar
2 hojas de lima kaffir
4 hojas de menta
4 hojas de albahaca tailandesa dulce

1 Caliente 10 g de la mantequilla en una cacerola, añada las chalotas y el jengibre y cocine 2-3 minutos, hasta que se hayan ablandado un poco.
2 Agregue el vinagre y llévelo a ebullición para reducirlo a la mitad.
3 Añada el fondo de ave, el *kecap manis* y la nata y lleve a ebullición.
4 Baje el fuego e incorpore las hojas de lima kaffir y las de menta y de albahaca. Cueza durante 5 minutos a fuego lento.
5 Retire del fuego, añada la mantequilla restante, sin dejar de batir con unas varillas, y cuélela con un colador chino antes de servirla caliente.

BOGAVANTE AL GRILL CON SALSA DE MANTEQUILLA CON SOJA Y LIMA KAFFIR

Para 4 personas

2 bogavantes vivos de 750 g cada uno
un poco de sal y de pimienta negra recién molida
25 g de mantequilla sin sal derretida
1 c/s de *nam pla* (sal tailandesa de pescado)
salsa de mantequilla con soja y lima kaffir (*véase* izquierda)

1 Ponga los bogavantes vivos en una bandeja pequeña en el congelador durante 2 horas. Retírelos del congelador e introdúzcalos en una cacerola con agua hirviendo. Vuelva a llevar el agua a ebullición y cuézalos 4 minutos, retírelos y déjelos enfriar.
2 Precaliente el grill 10-15 minutos a máxima potencia. Coloque cada bogavante sobre una tabla de cocina con el vientre hacia abajo. Córtelos por la mitad longitudinalmente, desde la cabeza hasta la cola, para así obtener 4 mitades.
3 Retire el estómago y el paquete intestinal, que discurre por la cola, al lado del caparazón.
4 Coloque las mitades de bogavante, con el lado de la carne hacia arriba, en una rustidera. Sazone ligeramente y pincele con la mantequilla derretida.
5 Ponga el bogavante bajo el grill y cocínelo 6-8 minutos, hasta que esté bien hecho.
6 Mientras el bogavante se cocina al grill, ponga el *nam pla* y la salsa de mantequilla con soja y lima kaffir en un cazo y lleve a ebullición.
7 Disponga las mitades de bogavante cocinadas en 4 platos, vierta la salsa por encima y sirva.

Consejo: la gente no sólo suele evitar cocinar bogavantes por su precio elevado, sino también por tener que matarlos. Este método del congelador es la forma más suave de hacerlo: los bogavantes se quedan dormidos y mueren sin experimentar dolor.

GUACAMOLE INDONESIO

Si le gusta el famoso guacamole mexicano, apreciará esta variante orientalizada, con los delicados sabores de Indonesia. ⊕ *Sírvala como salsa para untar para los bocadillos de salmón ahumado o de pollo asado.*

Para preparar 300 ml

2 aguacates maduros (pero no blandos)
1 tomate en rama grande cortado en daditos
1 c/s de *sambal oelek* (*véase* pág. 148)
10 hojas de albahaca tailandesa dulce cortadas en trocitos
1 cebolla roja picada fina
el zumo de 3 limas
sal y pimienta negra recién molida

1 Corte los aguacates por la mitad y retire el hueso. Tome la pulpa con una cuchara, introdúzcala en un cuenco y tritúrela con un tenedor.
2 Añada los ingredientes restantes, junto con sal y pimienta al gusto. Si no va a servir el guacamole de inmediato, ponga los huesos del aguacate en el cuenco para evitar que el guacamole ennegrezca.

SALSA *TAHINI* CHINA

Me encanta esta salsa con sabor a sésamo y frecuentemente la sirvo como parte de un bufete de ensaladas, mezclada con fideos chinos de huevo. El *tahini* aporta un sabor a sésamo más intenso que el aceite de sésamo solo. ⊕ *Mezcle los fideos con la salsa en el último momento o sírvala como mojo.*

Para preparar 150 ml

2 c/s de vinagre de vino de arroz
½ c/p de azúcar
50 ml de salsa de soja
2 c/s de aceite de sésamo
¼ c/p de copos de chile seco
1 c/s de aceite de cacahuete
1 c/s de *tahini* (pasta de semillas de sésamo)
2 dientes de ajo majados
un trozo de 2,5 cm de jengibre fresco picado fino
4 cebolletas picadas finas

1 Caliente el vinagre y el azúcar en un cazo hasta que este último se haya disuelto; páselo a un cuenco e incorpore los ingredientes restantes sin dejar de batir. Puede conservar esta salsa varias semanas en el frigorífico, en un recipiente cerrado.

VINAGRETA CON LIMA ENCURTIDA

La lima encurtida tiene algo irresistible para mí. La amontono sobre picantes *poppadoms* (un tipo de pan hindú) como aperitivo. ⊕ *Aquí les ofrezco una variante adoptada de una vinagreta hindú-francesa. Es excelente servida con pescado o pollo a la parrilla o vertida sobre humeantes patatas cocidas.*

Para preparar 150 ml

1 c/s de lima encurtida picada
1 c/s de menta picada
½ c/s de hojas de cilantro picadas
4 c/s de aceite de oliva
el zumo de 2 limas
2 c/s de vinagreta clásica (*véase* pág. 62)
1 c/p de *nam pla* (salsa de pescado tailandesa)
sal y pimienta negra recién molida

1 Introduzca la lima encurtida en una batidora junto con las finas hierbas y el aceite de oliva y triture hasta obtener un puré basto.
2 Páselo a un cuenco y añada los ingredientes restantes y salpimiente al gusto.

CHUTNEY DE RÚCULA Y *YUZU*

En esta receta confiero un toque distinto a un *chutney* tradicional de estilo asiático, al sustituir parte de la menta por rúcula. Si no puede encontrar *yuzu* (*véase* pág. 170), use limas frescas. ⊕ *Este* chutney *es delicioso vertido sobre platos de arroz.*

Para preparar 150 ml

un manojo pequeño de hojas de menta
un manojo pequeño de hojas de rúcula
1 cebolla picada
el zumo de 2 *yuzu* (o limas) o 4 c/s de zumo de *yuzu* embotellado
2 c/s de agua
½ c/p de *garam masala* (un tipo de curry)

1 Triture todos los ingredientes en una batidora hasta obtener un puré basto y añada un poco más de agua, en caso necesario. Puede conservarlo 2 días en el frigorífico en un recipiente hermético.

CAFFE` CONFETT
Bicerin
CIOCCOLATO Tobler in tazz
PASTIGLIE
Leone
CARAMELLE

SALSAS dulces

Las salsas dulces pueden transformar el postre más insípido en una obra de arte culinaria, tanto si se trata de una salsa de chocolate caliente vertida sobre una pera escalfada, un sencillo *coulis* de fruta para acompañar a un helado de vainilla, o una mantequilla combinada dulce que se derrite sobre higos al grill o tortitas. Un buen surtido de salsas para postres enriquecerá su repertorio, y su preparación no es difícil ni conlleva mucho tiempo. En este capítulo encontrará recetas de salsas tradicionales muy apreciadas, como una crema inglesa aromatizada con vainilla o una rica y sabrosa salsa de toffee, junto con tesoros menos conocidos, como la salsa de cajeta mexicana (una espesa salsa de caramelo elaborada con leche de cabra). Hay también recetas para preparar jarabes con sabores sencillos que podrá guardar en la alacena para añadir un toque especial a muchos platos dulces.

CREMA INGLESA

Se trata de la salsa inglesa para postre más clásica y apreciada. Es, básicamente, una salsa cremosa de vainilla o unas natillas delicadamente aromatizadas con vainas de vainilla.

Para preparar 750 ml

300 ml de leche entera
200 ml de nata para montar
1 vaina de vainilla cortada longitudinalmente
6 yemas de huevo de gallinas camperas
120 g de azúcar lustre

1 En una cacerola de base gruesa, lleve a ebullición la leche, la nata y la vaina de vainilla, retire la mezcla inmediatamente del fuego y déjela reposar 15 minutos para que se potencien los sabores.
2 Mientras, bata las yemas de huevo y el azúcar con unas varillas en un cuenco.
3 Vierta la leche caliente y la mezcla de la nata sobre la preparación de las yemas, sin dejar de batir con unas varillas.
4 Vuelva a verter la mezcla en la cacerola y cuézala a fuego lento, sin dejar de remover con una cuchara de madera o una espátula hasta que estas natillas espesen y recubran la parte posterior de una cuchara.
5 Retire la crema inglesa del fuego, cuélela con un colador chino y sírvala caliente o fría.

Variantes de la crema inglesa

CREMA INGLESA AL BRANDY

Agregue 2 c/s de brandy a la crema inglesa acabada. También combina bien con calvados, ron, o aguardiente de pera William.

CREMA INGLESA CON LECHE DE ALMENDRAS

Lleve la leche y la nata a ebullición junto con 150 g de almendras molidas, pero omita la vainilla, y déjela reposar toda la noche para que los sabores se potencien. Cuélela y use la mezcla de la leche con la nata en la que han infusionado las almendras, según la receta básica.

CREMA INGLESA CÍTRICA

Reemplace la vaina de vainilla, que dejará en infusión en la leche y la nata, por 2 c/s de ralladura blanqueada de naranja o limón. También puede añadir 1-2 c/s de limón cuajado (*véase* pág. 214).

CREMA INGLESA CON FINAS HIERBAS INFUSIONADAS

Me encanta infusionar las natillas con hierbas aromáticas frescas. Añádalas a la leche y la nata para que infusionen en lugar de la vainilla y cuélela antes de verterla sobre los huevos.

CREMA INGLESA INFUSIONADA CON ESPECIAS

Reemplace la vaina de vainilla, que agregará a la leche y la nata, por 1 c/p de clavos de especia o de anís estrellado molidos o por una ramita de canela. Es deliciosa con frutas otoñales.

CREMA INGLESA CON CASTAÑAS

Reemplace el azúcar por 50 ml de miel de castaño e incorpore 2 c/s de puré de castañas.

CREMA INGLESA MUSELINA

Para obtener unas natillas más ligeras, incorpore 100 ml de nata ligeramente montada.

CREMA INGLESA AL TÉ O AL CAFÉ

Reemplace la vaina de vainilla, que añadirá a la leche y la nata, por 2 c/s de té de buena calidad para que infusione en la leche y la nata. En el caso de la salsa al café, agregue 3 c/s de café *espresso* o 2 c/s de esencia de café a la salsa acabada.

Consejo: deje que la vaina de vainilla infusione en la leche durante toda la noche para permitir que se extraiga más esencia de ella y mejore el sabor.

Variante de la crema inglesa

CREMA INGLESA AL AZAFRÁN

Reemplace la vaina de vainilla, que añadirá a la leche y la nata, por una buena pizca de azafrán de buena calidad, y luego proceda como en la receta básica. Me encanta tomarla con una tarta de chocolate.

CREMA PASTELERA

Esta crema, parecida a las natillas, es una de las básicas en la repostería y se usa en numerosos postres y como relleno en delicias como los profiteroles, la bollería y las tartas. Una vez preparada se puede conservar durante 2-3 días en el frigorífico, tapada, aunque es preferible usarla el mismo día. Sustituir el azúcar lustre por azúcar avainillado es incluso mejor.

Para preparar 350 ml

300 ml de leche entera
60 g de azúcar lustre o avainillado
1 vaina de vainilla cortada longitudinalmente
4 yemas de huevos de gallinas camperas
2 c/p de harina
20 g de mantequilla refrigerada cortada en trocitos

1 Vierta la leche junto con la mitad del azúcar y la vaina de vainilla en una cacerola y lleve a ebullición. Retire del fuego de inmediato y deje que infusione durante 15 minutos.
2 En un cuenco, bata con unas varillas las yemas de huevo junto con el azúcar restante hasta obtener una mezcla espesa, pero ligera. Incorpore la harina, sin dejar de batir con las varillas.
3 Retire la vaina de vainilla de la leche y viértala sobre la mezcla de las yemas, sin dejar de batir con las varillas.
4 Vuelva a verter la mezcla en la cacerola y llévela a ebullición a fuego lento. Cocínela 1-2 minutos para permitir que la harina se cueza.
5 Retírela del fuego e incorpore los trocitos de mantequilla, sin dejar de batir con las varillas. Déjela enfriar antes de usarla.

Variantes

CREMA PASTELERA CON CHOCOLATE

Antes de agregar la mantequilla, incorpore 100 g de chocolate negro de buena calidad (con el 60-70 % de cacao) a la salsa caliente hasta que se derrita y adquiera una textura homogénea.

CREMA PASTELERA CON CAFÉ

Añada 2 c/s de esencia de café a la salsa acabada antes de dejarla enfriar.

CREMA PASTELERA CON LECHE DE ALMENDRAS

Sustituya, en la receta básica, la leche por leche de almendras.

CREMA PASTELERA CON LICOR

Agregue 1 c/s de su licor favorito a la salsa acabada, por ejemplo, ron, cointreau, kirsch o aguardiente de pera William.

SALSA *CHIBOUST*

Esta salsa, también conocida con el nombre de crema Saint-Honoré, es una versión más ligera de la crema pastelera que se usa para rellenar profiteroles o para recubrir la base de las tartas de frutas. Sustituya la harina por harina de maíz y añada 2 claras de huevo batidas a la salsa acabada y enfriada.

Consejo: uno de los errores más comunes al preparar esta crema es cocerla poco. Debe cocer uno o dos minutos después de haber comenzado a hervir. Advertirá un cambio apreciable en su consistencia, al mismo tiempo que se torna más brillante, homogénea y menos espesa, y no queda densa ni pastosa.

SABAYÓN

Se trata de una salsa italiana cuyo nombre original es *zabaglione*. Se prepara con huevos batidos y marsala, aunque éste puede sustituirse por otros tipos de alcohol.

Muchas recetas tradicionales del sabayón no incluyen la nata montada al final, pero, en mi opinión, aporta un buen toque a esta salsa.

⊕ *Puede servirse caliente, fría o congelada y resulta excelente con fruta fresca y escalfada.*

Para preparar 300 ml

6 yemas de huevos de gallinas camperas
65 g de azúcar lustre
60 ml de marsala
100 ml de nata de montar semimontada hasta formar picos suaves

1 Vierta las yemas, el azúcar y el marsala en un cuenco. Coloque el cuenco sobre una cacerola con agua justo por debajo del punto de ebullición, con la base del cuenco por encima del agua.
2 Bata con unas varillas hasta que la mezcla quede ligera y espumosa y haya duplicado su volumen.
3 Retire del fuego, añada gradualmente la nata semimontada, sin dejar de batir con las varillas, hasta que quede todo bien mezclado.
4 Sirva el sabayón de inmediato o viértalo en unas copas y déjelo enfriar. Es delicioso de ambas formas.

Variantes del sabayón

SABAYÓN CON NARANJA Y SAUTERNES

Agregue la ralladura blanqueada de 1 naranja a las yemas de huevo y reemplace el marsala por un sauternes dulce. Resulta excelente con budines de chocolate calientes.

SABAYÓN CON MIEL

Reemplace el azúcar por 3 c/s de miel y el marsala por vino santo.

SABAYÓN CON NARANJA Y ALBAHACA

Añada la ralladura blanqueada de una naranja a las yemas de huevo y sustituya el marsala por un licor de naranja. Corone el sabayón con 1 c/s de albahaca picada fina. Es exquisito con naranjas horneadas.

SABAYÓN CON CHOCOLATE Y ANÍS

Reemplace el marsala por Ricard o Pernod. Incorpore 50 g de chocolate blanco derretido al sabayón ya acabado. Es delicioso con nectarinas o *mousse* de chocolate.

SABAYÓN CON CHAMBORD

Sustituya el marsala por 4 c/s de licor de Chambord. Mi forma favorita de servirlo es esparcir un poco de jengibre escarchado sobre un plato de frambuesas y verter el sabayón con Chambord.

Consejo: puede sustituir el marsala por oporto, calvados o crema irlandesa Bailey's (una de mis versiones favoritas): es una salsa excelente para servir con una tarta tibia de pera.

SALSA DE CARAMELO BATIDA

Preparar su propia salsa de caramelo puede parecer una tarea difícil para muchos, pero no tiene por qué ser así. Asegúrese de tener listos y a mano los cazos y los ingredientes y siga los pasos básicos cuidadosamente. Prepararla lleva muy poco tiempo y resulta una delicia en todo tipo de postres.

Le recomiendo que tenga mucho cuidado cuando cocine el azúcar para preparar el caramelo, ya que el azúcar, una vez caliente, tendrá una temperatura más alta que la del agua hirviendo.

Para preparar 450 ml

50 ml de glucosa líquida
200 g de azúcar lustre
300 ml de nata para montar
25 g de mantequilla sin sal cortada en trocitos

1 Caliente a fuego lento la glucosa líquida, en un cazo hondo de base gruesa, sin dejar que llegue a hervir. La mezcla formará espuma, por lo que es importante usar un cazo hondo.
2 Agregue el azúcar, suba al fuego y caliente justo por debajo del punto de ebullición, hasta que quede caramelizado y adquiera un color dorado ámbar intenso (unos 2-3 minutos). Cuanto más caramelizado esté el azúcar más intenso será el sabor.
3 Agite el cazo para que el color se distribuya uniformemente, pero no remueva el caramelo. Use un pincel de repostería húmedo para raspar el azúcar caramelizado de los bordes del cazo.
4 Mientras, lleve la nata a ebullición en otro cazo, retírela del fuego y vierta con cuidado el caramelo caliente sobre la nata hervida, para que no salpique.
5 Añada los trocitos de mantequilla y bata la salsa con unas varillas hasta que quede lisa. Retírela del fuego y déjela enfriar antes de servirla.

Variantes

SALSA DE CARAMELO CON SAL

Reemplace la mantequilla sin sal por 40 g de mantequilla con sal y una pizca de sal marina. Sirva esta salsa sobre helado o una tarta de pera.

SALSA DE CARAMELO CON LICOR

Agregue 50 ml de su licor favorito a la salsa acabada.

SALSA DE CARAMELO CON VAINILLA

Añada 1 vaina de vainilla cortada a la nata antes de llevarla a ebullición. Luego proceda como en la receta básica y cuélela antes de usarla.

SALSA DE CARAMELO CON NARANJA

Agregue la ralladura fina de 1 naranja al azúcar y caramelícelo según la receta básica. Deje enfriar antes de añadir 2 c/s de un licor de naranja, como Grand Marnier o curaçao.

Variante del jarabe al caramelo

JARABE DE CARAMELO CON GRANADA

Lleve a ebullición el jarabe de caramelo básico junto con 1 c/s de melaza de granada. Déjelo enfriar antes de agregar 4 c/s de jarabe de granadina. Pruébelo con la receta del *semifreddo* de la página siguiente.

JARABE DE CARAMELO

Siempre que preparo este jarabe de caramelo, me acuerdo de mi época como aprendiz en el departamento de pastelería. En aquella época, el caramelo se elaboraba en cacerolas con la base de cobre, que conservaban mejor el calor.

Para preparar 250 ml

200 g de azúcar lustre
50 ml de glucosa líquida
100 ml de agua caliente

1 Vierta el azúcar, la glucosa líquida y 50 ml de agua fría en un cazo de base gruesa y remueva, a fuego lento, con una cuchara de madera, hasta que el azúcar se haya disuelto.
2 Suba el fuego y, tan pronto como el jarabe alcance el punto de ebullición, deje de remover y cocínelo hasta que adquiera un color caramelo oscuro.
3 Retire del fuego, deje enfriar un poco y haga el jarabe menos espeso añadiendo el agua caliente.

Variantes

JARABE DE CARAMELO CON VAINILLA

Corte una vaina de vainilla longitudinalmente y raspe las semillas en el cazo del jarabe de caramelo ya acabado. Añada 60 ml de agua caliente, lleve a ebullición 1 minuto, retire del fuego y deje enfriar. Resulta deliciosa con tartas de fruta.

JARABE DE CARAMELO AL TÉ DE JAZMÍN

Lleve 100 ml agua a ebullición, agregue 1 c/s de hojas de té de jazmín y retire el cazo del fuego. Déjelas reposar 1 minuto para que infusionen, cuele y reserve sólo el líquido. Añada el té al jarabe de caramelo ya acabado, cueza 2 minutos por debajo del punto de ebullición y deje enfriar.

JARABE DE CARAMELO CON CAFÉ

Agregue 1 c/s de esencia de café al jarabe de caramelo. Es delicioso vertido sobre peras escalfadas o plátanos.

SEMIFREDDO DE NUECES GARRAPIÑADAS CON JARABE DE CARAMELO CON GRANADA Y PISTACHOS

Para 4 personas

100 g de azúcar lustre
75 g de nueces partidas por la mitad
2 huevos de gallinas camperas
75 g de chocolate blanco derretido
300 ml de nata para montar semimontada hasta formar picos suaves
1 ración de jarabe de caramelo con granada (*véase* receta página anterior)
2 c/s de pistachos sin la cáscara picados gruesos

1 Ponga 60 g del azúcar en una cacerola de base gruesa a fuego lento. Derrita el azúcar y luego suba el fuego hasta que el azúcar adquiera un color caramelo ámbar oscuro.
2 Añada las nueces y cocínelas 30 segundos. Vierta esta mezcla sobre una bandeja y déjela enfriar, para luego picarla en trocitos.
3 Vierta los huevos y el azúcar restante en un cuenco y colóquelo sobre un cazo con agua justo por debajo del punto de ebullición. Bata con unas varillas hasta que la mezcla duplique su volumen y se torne espesa, densa y cremosa. Retire el cuenco del cazo y vuelva a batir con las varillas hasta que se enfríe.
4 Agregue el chocolate derretido e incorpore la nata semimontada y las nueces garrapiñadas.
5 Vierta la mezcla en una tarrina o en moldes individuales recubiertos de film transparente e introdúzcalos en el congelador toda la noche.
6 Retire el *semifreddo* congelado de la tarrina y córtelo en rodajas (en el caso de la tarrina), y, si usa moldes individuales, déjelos tal cual. Vierta el jarabe de caramelo con granada por encima, esparza los pistachos y sirva.

SALSA DE CAJETA

Esta salsa mexicana de caramelo se elabora, tradicionalmente, con leche fresca de cabra u oveja, y se cocina a fuego muy lento, hasta que se transforma en una salsa exquisita, sabrosa y caramelizada. En México se vende en tarros, pero aquí es difícil encontrarla. Afortunadamente, es fácil prepararla en casa. ⊕ *La salsa de cajeta se suele servir sobre helado o se vierte sobre tortitas, aunque a mí me encanta con plátanos asados, o incluso con una tarta de calabaza que en Estados Unidos se sirve el Día de Acción de Gracias. También me gusta untarla abundantemente sobre pan o un pan de leche: es todo un placer. Prepare una buena cantidad, ya que no durará mucho.*

Para preparar 750 ml

750 ml de leche fresca de cabra (o de oveja)
75 g de azúcar blanquilla
250 ml de nata para montar
1 ramita gruesa de canela
50 g de mantequilla sin sal refrigerada cortada en trocitos

1 Introduzca la leche, el azúcar, la nata y la ramita de canela en una cacerola ancha y de base gruesa y lleve a ebullición.
2 Retire la ramita de canela, baje el fuego y cueza unas 2 horas a fuego lento. Experimentará varios cambios de color, desde el caramelo claro al oscuro.
3 Retire del fuego e incorpore la mantequilla, sin dejar de batir con unas varillas. Sírvala caliente o déjela enfriar. Se conservará 2 semanas en el frigorífico, en un recipiente bien tapado.

TORTITAS A LA VAINILLA CON PLÁTANOS ASADOS Y SALSA DE CAJETA

Para 4 personas

150 g de harina
1 c/s de azúcar lustre
4 huevos de gallinas camperas
1 vaina de vainilla cortada longitudinalmente, o 1 c/p de esencia de vainilla
150 ml de nata para montar
150 ml de leche entera
aceite vegetal, para freír
25 g de mantequilla sin sal
4 plátanos pelados y cortados por la mitad longitudinalmente
2 c/s de azúcar glas
125 ml de salsa de cajeta (*véase* izquierda)
yogur natural, para servir (opcional)

1 Tamice la harina en un cuenco, incorpore el azúcar lustre y los huevos y mezcle bien.
2 Corte la vaina de vainilla longitudinalmente y raspe las semillas. Añádalas, junto con la nata y la leche, al cuenco y mezcle bien hasta obtener una masa ligera. Deje reposar 1 hora.
3 Caliente un poco de aceite en una sartén antiadherente grande. Vierta un poco de la masa, con un cucharón de 5 cm de diámetro, formando montones alrededor de la sartén lo suficientemente alejados para que no se toquen.
4 Cocine la masa hasta que se dore por los bordes (alrededor de 1 minuto) y cocínela por el otro lado 1 minuto más, hasta que se dore por ambos lados. Retire las tortitas de la sartén y consérvelas calientes. Repita el proceso hasta usar toda la masa.
5 Mientras, caliente la mantequilla en otra sartén y agregue los plátanos. Espolvoréelos con el azúcar lustre y cocínelos hasta que queden caramelizados.
6 Disponga 2 mitades de plátano entre 2 tortitas en cada plato. Vierta por encima un poco de salsa de cajeta y corone con una cucharada de yogur.

SALSA DE CARAMELO DE MANTEQUILLA

El whisky es un ingrediente opcional.

Para preparar 600 ml

75 g de azúcar moreno blando
150 ml de nata para montar
50 g de mantequilla
150 g de jarabe de jugo de caña de azúcar
½ c/p de extracto de vainilla
1 c/s de whisky escocés (opcional)

1 Vierta el azúcar, la nata, la mantequilla y el jarabe de jugo de caña de azúcar en una cacerola de base gruesa y cuézalos a fuego lento; vaya removiendo hasta que la mantequilla se haya derretido y el azúcar se haya disuelto.
2 Suba el fuego y lleve a ebullición, sin dejar de remover. Vuelva a bajar el fuego y cueza 4-5 minutos a fuego lento, hasta que adquiera un color a caramelo intenso.
3 Retire del fuego, incorpore el extracto de vainilla y el whisky (si lo usa) y sirva caliente.

Variantes

Un chorrito de su licor favorito siempre dará buen resultado.

SALSA DE CARAMELO DE MANTEQUILLA CON CREMA FRESCA

Agregue 2 c/s de crema fresca a la salsa acabada.

SALSA DE CARAMELO DE MANTEQUILLA CON COCO

Reemplace la mitad de la nata por crema de coco y reduzca la cantidad de jarabe de jugo de caña de azúcar de 150 g a 50 g.

SALSA DE CARAMELO DE MANTEQUILLA CON JENGIBRE

Añada ½ c/p de jengibre molido a los ingredientes al inicio de la receta básica.

SALSA DE TOFFEE

Esta salsa y la anterior (la salsa de caramelo de mantequilla), suelen ser intercambiables y son, básicamente, la misma. Mis investigaciones me llevan a considerar que la salsa de toffee surgió en Gran Bretaña y que los escoceses añadieron jarabe de jugo de caña de azúcar para crear la salsa de caramelo de mantequilla. Ambas son fáciles de preparar, calóricas y nutritivas y tan ricas que son irresistibles. ⊕ *Cualquiera de las dos salsas está riquísima vertida sobre helado o servida junto con budines esponjosos cocidos al vapor.*

Para preparar 400 ml

200 g de azúcar moreno blando
100 ml de nata para montar
100 g de mantequilla sin sal
½ c/p de extracto de vainilla

1 Prepárela de la misma forma que la salsa de caramelo de mantequilla (*véase* izquierda), pero cuézala sólo 4-5 minutos, de forma que la salsa no se torne oscura.

Consejo: puede preparar ambas salsas con antelación y conservarlas 10 días en el frigorífico, en un recipiente bien cerrado. Vuelva a llevarlas a temperatura ambiente antes de servirlas.

SALSA DE CHOCOLATE

Es fácil preparar una salsa de chocolate sabrosísima, si el chocolate es de buena calidad. Los distintos cocineros prefieren chocolates diferentes, aunque todos están de acuerdo en que es vital que contenga por lo menos un 60-70 % de cacao. Además, algunos cocineros usan agua, un poco de leche y/o nata. Todos ellos combinan bien con el chocolate y dan lugar a distintas salsas.

Para preparar 400 ml

250 ml de nata líquida o de nata para montar
25 g de azúcar lustre
120 g de chocolate negro (con el 60-70 % de cacao) cortado en trocitos
25 g de mantequilla sin sal

1 Vierta la nata y el azúcar en una cacerola de base gruesa y lleve a ebullición a fuego lento.
2 Retírela inmediatamente del fuego y, una vez apartada, incorpore el chocolate y la mantequilla hasta que se hayan derretido y la salsa quede lisa.
3 Sírvala caliente o déjela enfriar.

Variantes

SALSA DE CHOCOLATE CON LICOR
Agregue 2 c/s de ron, de Grand Marnier o del licor que prefiera a la salsa acabada.

SALSA DE CHOCOLATE CON JENGIBRE
Deje que 1 c/p de jengibre rallado infusione en la nata y el azúcar y proceda como en la receta básica.

SALSA DE CHOCOLATE CON ESPLIEGO
Deje que 1 c/p de hojas de espliego infusione en la nata y el azúcar. Luego proceda como en la receta básica, pero cuélela antes de dejarla enfriar. También resulta deliciosa con la misma cantidad de hojas de romero o de tomillo.

SALSA DE CHOCOLATE BLANCO

Aunque el chocolate blanco no es, técnicamente, un chocolate, supone una buena alternativa a las salsas preparadas con chocolate negro. A mi mujer, Anita, le encanta el chocolate blanco, así que suelo preparar esta salsa en casa para ella.

Para preparar 350 ml

200 g de chocolate blanco rallado o cortado en trocitos
250 ml de nata para montar
4 c/s de leche entera
10 g de mantequilla sin sal
1 c/s de kirsch (opcional)

1 Derrita el chocolate en un cuenco colocado sobre un cazo con agua justo por debajo del punto de ebullición.
2 Ponga la leche y la nata en otro cazo y lleve a ebullición.
3 Vierta la mezcla de la nata y la leche sobre el chocolate derretido, y luego añada la mantequilla y remueva con una cuchara de madera hasta que se haya derretido y quede lisa. Incorpore el kirsch (si lo usa) y sírvala caliente o déjela enfriar antes de usarla.

Variante

Corone la salsa de chocolate con 1 c/s de licor de anís (como Pernod o Ricard). Es deliciosa.

Variante del *coulis* de fruta

COULIS DE MANGO

Reemplace las bayas rojas por 2 mangos maduros pelados y cortados en trozos.

COULIS DE FRUTA

El *coulis*, que se prepara con fruta triturada y tamizada, es una de las salsas de postre más fáciles de elaborar. Las salsas de fruta aportan no sólo un sabor fresco a los postres, sino también un toque de color y fragancia. Se suelen servir frías, aunque también pueden consumirse calientes.

Use frutas frescas o congeladas para preparar un *coulis*. La cantidad de azúcar que añada dependerá de la fruta empleada, además de su grado de madurez. Deberá ajustar la proporción para adaptarse a estas condiciones variables.

⊕ *Es deliciosa servida con tartas de fruta, budines o vertida sobre helados y sorbete; siempre le dará buenos resultados.*

Consejo: tenga cuidado de no triturar las frutas en exceso, ya que el color resultará más claro y, de este modo, se reducirá el frescor natural de la fruta. En el caso de aquellas frutas con un sabor más ácido, como las grosellas rojas, duplique la cantidad de azúcar, lleve a ebullición y deje enfriar antes de triturar.

COULIS DE BAYAS ROJAS

Puede usar sólo un tipo de baya o bien una mezcla de frutas veraniegas blandas, como he hecho en esta receta.

Para preparar 600 ml

225 g de frambuesas
225 g de fresas sin el pedúnculo
2 c/s de azúcar lustre
1 c/s de agua
algunas gotas de zumo de limón al gusto

1 Introduzca las frutas en una batidora junto con el azúcar lustre y el agua. Tritúrelas 20 segundos hasta reducirlas a un puré, y añada el zumo de limón.
2 Rectifique el dulzor con más azúcar lustre, en caso necesario, tamice y sirva.

Variante

COULIS DE NECTARINA Y MELOCOTÓN

Sustituya las bayas rojas por 4 nectarinas o melocotones maduros. Deshuéselos, corte la pulpa en trocitos y proceda según la receta básica.

BUDÍN DE LIMÓN CON *COULIS* DE BAYAS ROJAS

En este postre, el zumo de limón proporciona la base no sólo para un delicioso budín ligero, sino también para una ácida salsa de limón. El *coulis* de bayas rojas constituye el equilibrio perfecto para el sabor ácido del limón.

Para 4 personas

1 c/s de harina
225 g de azúcar lustre
la ralladura de ½ limón, preferiblemente sin la cera
4 c/s de zumo de limón recién exprimido
4 huevos de gallinas camperas con las claras y las yemas separadas
250 ml de leche entera
una pizca de sal
200 ml de *coulis* de bayas rojas (*véase* pág. 211), para servir

1 Precaliente el horno a 180 °C. Tamice la harina en un cuenco y agregue el azúcar y la ralladura y el zumo de limón.
2 Bata, en otro cuenco, las yemas y la leche. Añada esta preparación a la de harina y azúcar y remueva para que quede bien mezclada.
3 En un cuenco limpio, bata las claras con la sal hasta que queden a punto de nieve y, con una espátula, incorpore cuidadosamente la mezcla para el budín.
4 Vierta la mezcla en 4 moldes llanos y ligeramente engrasados. Dispóngalos en una rustidera y vierta agua hirviendo hasta que llegue a la mitad de la altura de los moldes.
5 Hornéelos durante 45 minutos hasta que estén dorados, ligeros y esponjosos. Sirva con el *coulis* de frutos rojos.

OTRAS SALSAS DE FRUTAS

Las salsas que siguen son recetas estándar que proporcionan unos resultados excelentes, pero eso no debería impedirle experimentar con la receta básica para aportar una complejidad suplementaria al infusionar los sabores que escoja. La verbena, por ejemplo, supone un excelente toque adicional a la salsa de limón.

SALSA DE MERMELADA

Para preparar 250 ml

150 g de mermelada de buena calidad (por ejemplo, frambuesa, fresa, higos)
1 c/p de harina de arrurruz mezclada con 2 c/p de agua

1 Ponga la mermelada, junto con 75 ml agua, en una cacerola de base gruesa y lleve a ebullición. Incorpore la harina disuelta y cocine 1 minuto.
2 Retire la espuma que se forme sobre la superficie y pase por un colador chino.

SALSA DE LIMÓN

Para preparar 350 ml

la ralladura y el zumo de 2 limones
60 g de azúcar lustre
15 g de harina de arrurruz mezclada con 2 c/s de agua

1 Ponga la ralladura y el zumo de limón, junto con 300 ml agua y el azúcar, en una cacerola de base gruesa y lleve a ebullición.
2 Incorpore, sin dejar de batir con unas varillas, la harina de arrurruz disuelta y cocine durante 30 segundos. Pase por un colador chino.

Consejo: se pueden emplear otros cítricos, como el pomelo, la mandarina, la naranja, etc. en lugar del limón y variar la cantidad de azúcar según la fruta.

SALSA DE LIMÓN CUAJADO

Para preparar 250 ml

225 g de azúcar lustre
120 g de mantequilla
la ralladura y el zumo de 3 limones grandes no tratados
3 huevos grandes de gallinas camperas batidos

1 Ponga el azúcar, la mantequilla y el zumo y la ralladura de limón en un cazo de base gruesa.
2 Caliéntelos a fuego lento, sin dejar de remover, hasta que el azúcar se haya disuelto y la mantequilla se haya derretido.
3 Agregue los huevos, sin dejar de remover, a fuego lento, hasta que el limón cuajado espese y deje limpias las partes laterales del cazo. Retire la salsa del fuego y pásela a un tarro. Cuando esté fría, tápela y refrigérela.

SALSAS DE JARABES CON SABORES

Los jarabes basados en el azúcar constituyen una forma fácil de preparar una salsa sencilla y deliciosa para los postres. Son excelentes vertidas sobre helado o sobre ensaladas de frutas de temporada o *mousses*. Les ofrezco dos recetas: una para el jarabe básico y otra para el jarabe de caramelo; ambas forman la base de numerosas salsas exquisitas.

JARABE BÁSICO

Para preparar 250 ml

100 ml de agua
200 g de azúcar lustre
100 ml de glucosa líquida

1 Vierta el agua, el azúcar y la glucosa líquida en una cacerola de base gruesa y remueva con una cuchara de madera hasta que el azúcar se haya disuelto.
2 Caliente el jarabe y, en cuanto alcance el punto de ebullición, deje de remover y cocínelo 1 minuto, hasta que se forme una salsa de jarabe ligeramente espesa.
3 Retírela del fuego, pásela a un cuenco y déjela enfriar.

Variantes

JARABE CON AGUA DE AZAHAR

Vierta 1 ración del jarabe básico en una cacerola junto con la ralladura de 1 naranja y el zumo de 4. Lleve a ebullición, cueza 2-3 minutos, deje enfriar y añada 1 c/s de agua de azahar.

JARABE CON JENGIBRE Y LIMA

Vierta 1 ración del jarabe básico en una cacerola junto con 2 c/s de jarabe de jengibre, el zumo de 3 limas y un trozo de 2,5 cm de jengibre fresco pelado. Cueza 2-3 minutos y deje enfriar.

JARABE DE FRUTAS DEL BOSQUE

Coloque un colador pequeño sobre un cuenco. Disponga una muselina en el interior del colador e introduzca 225 g de fruta fresca o congelada (como frambuesas, fresas o grosellas negras). Lleve a ebullición 1 ración del jarabe básico en un cazo y viértalo sobre las frutas. Deje reposar durante la noche en el frigorífico para que las frutas desprendan su zumo y éste caiga al cuenco para así obtener un jarabe transparente. Incorpore 1 c/s de licor de fruta, como por ejemplo, el kirsch.

JARABE DE ESPLIEGO

Vierta 1 ración del jarabe básico y 1 c/p de hojas de espliego en un cazo y lleve a ebullición. Retire del fuego, deje reposar 30 minutos para que infusione y cuélelo.

JARABE DE VINO TINTO

Vierta 150 ml de vino (un shiraz o un cabernet sauvignon) en una cacerola junto con ½ ramita de canela, 1 clavo de especia y ½ vaina de vainilla y cuézalo hasta que se reduzca a la mitad. Agregue 1 ración del jarabe básico y cueza 10 minutos, cuele y deje enfriar. Otros vinos y licores, como el cava, el ron y el oporto también, pueden proporcionar un jarabe excelente.

Consejo: asegúrese siempre de que el azúcar se haya disuelto por completo antes de llevarlo a ebullición, y recuerde no remover una vez haya comenzado a hervir, por muy tentador que pueda parecer.

Variante del jarabe básico

JARABE CON HIERBAS AROMÁTICAS

Blanquee un manojo (50 g) de su hierba preferida picada (la menta, la albahaca y el cilantro son ideales) en agua hirviendo, durante 10 segundos, y pase las hierbas a un cuenco con agua helada. Escúrralas, séquelas y tritúrelas junto con el jarabe básico.

BAKLAVA MARROQUÍ CON JARABE CON AGUA DE AZAHAR

Ésta es mi versión del famoso postre griego, popular en toda la región mediterránea. El toque marroquí lo aporta la fragancia y el ligero sabor especiado típico de la cocina de este país.

Para 4 personas

100 g de dátiles frescos deshuesados y picados finos
175 g de nueces partidas por la mitad
175 g de almendras enteras
60 g de azúcar blanquilla
2 c/s de agua de azahar
1 c/p de canela molida
¼ c/p de clavos de especia molidos
100 ml de zumo de naranja
18 láminas de pasta filo de 20 x 30 cm
75 g de mantequilla sin sal derretida
jarabe con agua de azahar (*véase* pág. 215) al gusto

1 Triture los dátiles, las nueces y las almendras en una batidora hasta obtener una pasta.
2 Pase la pasta a un cuenco y añada el azúcar, el agua de azahar, la canela, los clavos de especia y 50 ml del zumo de naranja y mezcle bien. Precaliente el horno a 160 °C.
3 Disponga una lámina de pasta filo en una rustidera de 20 x 30 cm y pincélela con la mantequilla derretida. Coloque encima 6 láminas más de pasta filo y pincele cada una de ellas con la mantequilla derretida.
4 Extienda la mitad del relleno uniformemente sobre la superficie y disponga encima 6 láminas más de pasta filo y pincele cada lámina con mantequilla.
5 Disponga encima el relleno y las láminas de pasta filo restantes, cada lámina con mantequilla.
6 Corte la *baklava* en forma de diamantes y hornéela 20-25 minutos, hasta que adquiera un color dorado. Retírela del horno y déjela reposar 5 minutos. Vierta un poco de jarabe con agua de azahar por encima y sirva.

MANTEQUILLAS COMPUESTAS DULCES

Estas mantequillas compuestas dulces suponen una salsa o cobertura muy versátil para todo tipo de postres calientes. Todas las recetas que siguen usan 100 g de mantequilla ablandada y siguen el método de las recetas de las mantequillas compuestas saladas de la página 36.

MANTEQUILLA CON MIEL DE ESPLIEGO

Agregue 2 c/s de miel de espliego y ¼ c/p de hojas de espliego a la mantequilla y bata hasta que quede uniforme. Proceda como con las mantequillas compuestas saladas: enróllela en film transparente. Resulta excelente con higos.

MANTEQUILLA CON RON Y PASAS

Añada 1-2 gotas de extracto de vainilla, 2 c/s de azúcar moreno blando, 60 ml de ron y 2 c/s de pasas en remojo y bata hasta que quede uniforme. Proceda como con las mantequillas compuestas saladas: enróllela en film transparente.

MANTEQUILLA CON CANELA

Agregue 3 c/s de azúcar glas y 1 c/s de canela molida a la mantequilla y bata hasta que quede uniforme. Proceda como con las mantequillas compuestas saladas: enróllela en film transparente.

MANTEQUILLA CON CHOCOLATE

Añada 125 g de chocolate negro rallado fino, 2 c/s de azúcar lustre y 2 c/s de licor de crema de cacao a la mantequilla y bata hasta que quede uniforme. Proceda como con las mantequillas compuestas saladas: enróllela en film transparente.

MANTEQUILLA CON CAFÉ

Agregue 4 c/s de azúcar glas y 2 c/s de esencia de café a la mantequilla y bata hasta que quede uniforme. Proceda como con las mantequillas compuestas saladas: enróllela en film transparente.

HIGOS AL GRILL SOBRE PAN DE LECHE CON MANTEQUILLA CON MIEL DE ESPLIEGO Y QUESO DE CABRA

Preparo esta receta cuando deseo algo original para un *brunch* dominical.

Para 4 personas

150 g de queso tierno de cabra
1 c/s de miel derretida
4 higos firmes y maduros
100 g de azúcar lustre
4 rebanadas de un buen pan de leche
50 g de mantequilla con miel de espliego (*véase* izquierda)

1 Precaliente el grill a la máxima potencia. Introduzca el queso de cabra y la miel derretida en un cuenco y remueva con una cuchara de madera para mezclarlos y ablandarlos.

2 Corte los higos por la mitad y espolvoree los lados cortados con el azúcar. Colóquelos bajo el grill hasta que se hayan caramelizado. (Como alternativa, trabaje con un soplete.)

3 Tueste las rebanadas de pan de leche hasta que estén doradas y disponga encima de cada una 2 rodajas de mantequilla con miel de espliego. Vuelva a colocarlas bajo el grill para que la mantequilla se derrita lentamente.

4 Disponga 2 mitades de higo sobre cada rebanada de pan de leche junto con una buena cucharada del queso de cabra al lado y sirva.

ÍNDICE